'사고력수학의 시작'

팡세

pensées

A4

1학년 | 카운팅

사고가 자라는 수학
씨투엠

사고력 수학을 묻고
팡세가 답해요

Q: 사고력 수학은 '왜' 해야 하나요?

사고력 수학은 아이에게 낯선 문제를 접하게 함으로써 여러 가지 문제 해결 방법을 아이 스스로 생각하게 하는 것에 목적이 있어요. 정석적인 한 가지 풀이법만 알고 있는 아이는 결국 중등 이후에 나오는 응용 문제에 대한 해결력이 현저히 떨어지게 되지요. 반면 사고력 수학을 통해 여러 가지 풀이법을 스스로 생각하고 알아낸 경험이 있는 아이들은 한 번 막히는 문제도 다른 방법으로 뚫어낼 힘이 생기게 된답니다. 이러한 힘을 기르는 데 있어 사고력 수학이 가장 크게 도움이 된다고 확신해요.

Q: 사고력 수학이 '필수'인가요?

No but Yes! 초등 수학에서 가장 필수적인 것은 교과와 연산이지요. 또 중등에서의 서술형 평가를 대비하기 위한 서술형 학습과 어려운 중등 도형을 헤쳐나가기 위한 도형 학습 정도를 추가하면 돼요. 사고력 수학은 그 다음으로 중요하다고 할 수 있어요. 다만 만약 중등 이후에도 상위권을 꾸준하게 유지하겠다고 하시면 사고력 수학은 필수랍니다.

Q: 사고력 수학, 꼭 '어려운' 문제를 풀어야 하나요?

No! 기존의 사고력 수학 교재가 어려운 이유는 영재교육원 입시 때문이었어요. 상위권 중에서도 더 잘하는 아이, 즉 영재를 골라내는 시험에 사고력수학 문제가 단골로 출제되었고, 이에 대비하기 위해 만들어진 것이 초창기 사고력 수학 교재이지요. 하지만 모든 아이들이 영재일 수는 없고, 또 그래야할 필요도 없어요. 사고력 수학으로 영재를 확실하게 선별할 수 있는 것도 아니에요. 따라서 사고력 수학의 원래 목적, 즉 새로운 문제를 풀 수 있는 능력만 기를 수 있다면 난이도는 중요하지 않답니다. 오히려 어려운 문제는 수학에 대한 아이들의 자신감을 떨어뜨리는 부작용이 있다는 점! 반드시 기억해야 해요.

Q: 사고력 수학 학습에서 어떤 점에 '유의'해야 할까요?

가장 중요한 것은 아이가 스스로 방법을 생각할 수 있는 시간을 충분히 주는 거예요. 엄마나 선생님이 옆에서 방법을 바로 알려주거나 해답지를 줘버리면 사고력 수학의 효과는 없는 거나 마찬가지랍니다. 설령 문제를 못 풀더라도 아이가 스스로 고민하는 습관을 가지고, 방법을 찾아가는 시간을 늘리는 것이 아이의 문제해결력과 집중력을 기르는 방법이라고 꼭 새기며 아이가 스스로 발전할 수 있는 가능성을 믿어 보세요.

또 하나 더 강조하고 싶은 것은 문제의 답을 모두 맞힐 필요가 없다는 거예요. 사고력 수학 문제를 백점 맞는다고 해서 바로 성적이 쑥쑥 오르는 것이 아니에요. 사고력 수학은 훗날 아이가 더 어려운 문제를 풀기 위한 수학적 힘을 기르는 과정으로 봐야 하는 거지요. 그러니 아이가 하나 맞히고 틀리는 것에 일희일비하지 말고 우리 아이가 문제를 어떤 방법으로 풀려고 했고, 왜 어려워 하는지 표현하게 하는 것이 훨씬 중요합니다. 사고력 수학은 문제의 결과인 답보다 답을 찾아가는 과정 그 자체에 의미가 있다는 사실을 꼭! 꼭! 기억해 주세요.

팡세의 구성과 특징

1. 패턴, 퍼즐과 전략, 유추, 카운팅 - 새로운 시대에 맞는 새로운 사고력 영역!

2. 아이가 혼자서도 술술 풀어나가며 자신감을 기르기에 딱 좋은 난이도!

3. 하루 10분 1장만 풀어도 초등에서 꼭 키워야 하는 사고력을 쑥쑥!

일일 소주제 학습

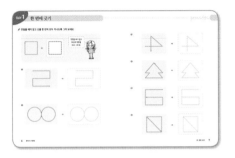

하루에 10분씩 매일 1장씩만 꾸준히 풀면 돼.

주차별 확인학습

5일 동안 배운 것 중 가장 중요한 문제를 복습하는 거야!

월간 마무리 평가

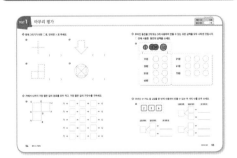

4주 동안 공부한 내용 중 어디가 부족한지 알 수 있다. 삐리삐리~

이 책의 차례

A4

pensées

한붓그리기

✏️ 연필을 떼지 않고 선을 한 번씩 모두 지나도록 그려 보세요.

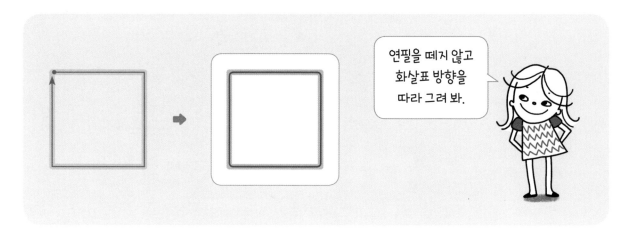

❶

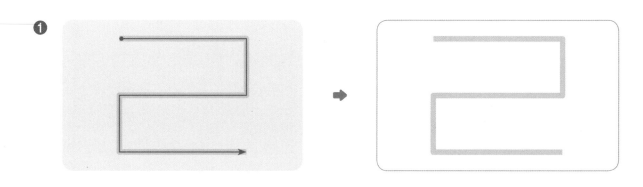

❷

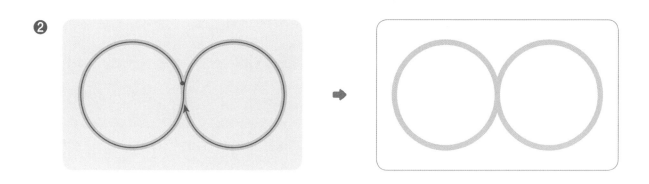

❸

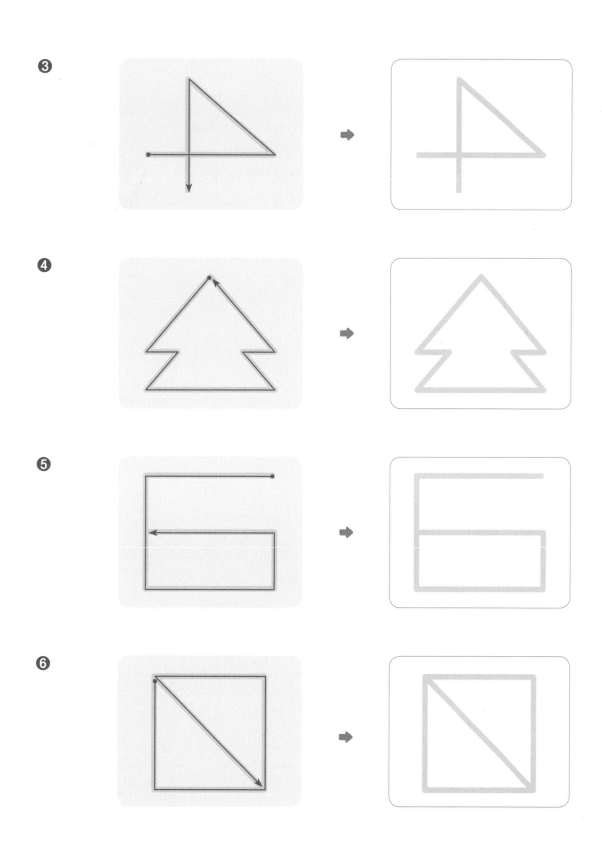

❹

❺

❻

✏️ 연필을 떼지 않고 선을 한 번씩 모두 지나가도록 그리는 것을 '한붓그리기'라고 합니다. 한붓그리기가 되면 ○표, 안 되면 ×표 하세요.

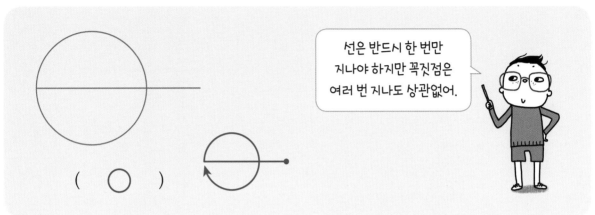

선은 반드시 한 번만 지나야 하지만 꼭짓점은 여러 번 지나도 상관없어.

(○)

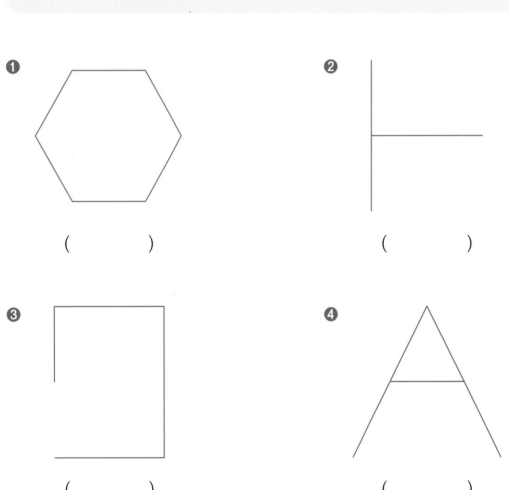

❶ ( )

❷ ( )

❸ ( )

❹ ( )

⑤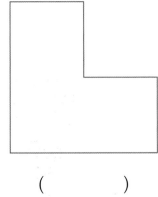

(   )

⑥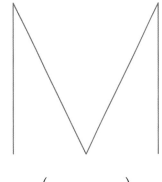

(   )

⑦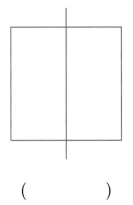

(   )

⑧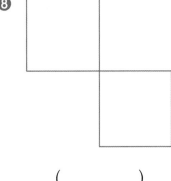

(   )

⑨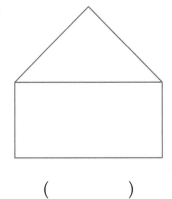

(   )

⑩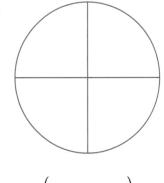

(   )

✏️ 도형에서 한 꼭짓점에 연결된 선의 개수가 홀수 개일 때 그 점을 홀수점, 짝수 개일 때 그 점을 짝수점이라 합니다. 홀수점의 개수를 구하세요.

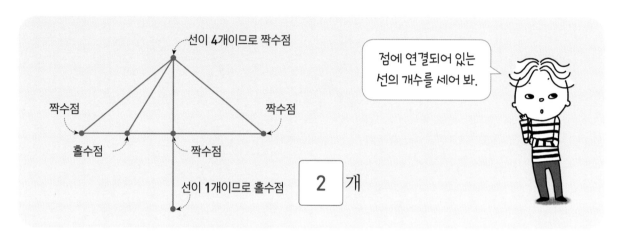

❶

개

❷

개

❸

개

❹

개

❺

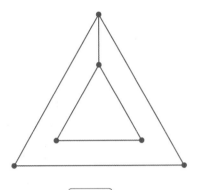

☐ 개

❻

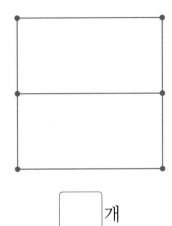

☐ 개

❼

☐ 개

❽

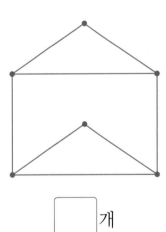

☐ 개

❾

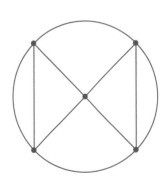

☐ 개

❿

☐ 개

✏️ 홀수점의 개수가 0개인 도형입니다. 한붓그리기를 해 보세요.

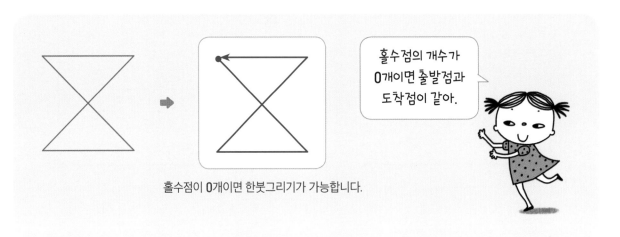

홀수점의 개수가 0개이면 출발점과 도착점이 같아.

홀수점이 0개이면 한붓그리기가 가능합니다.

❶

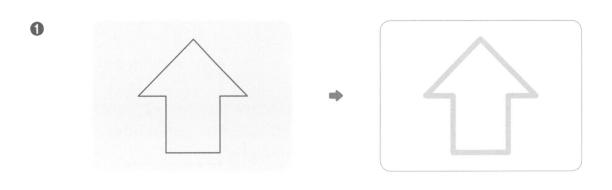

❷

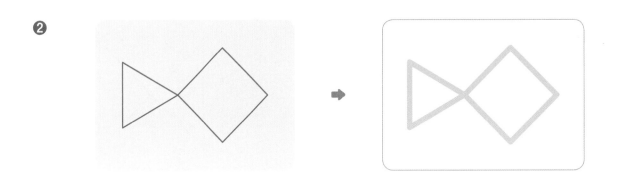

❸

❹

❺

❻

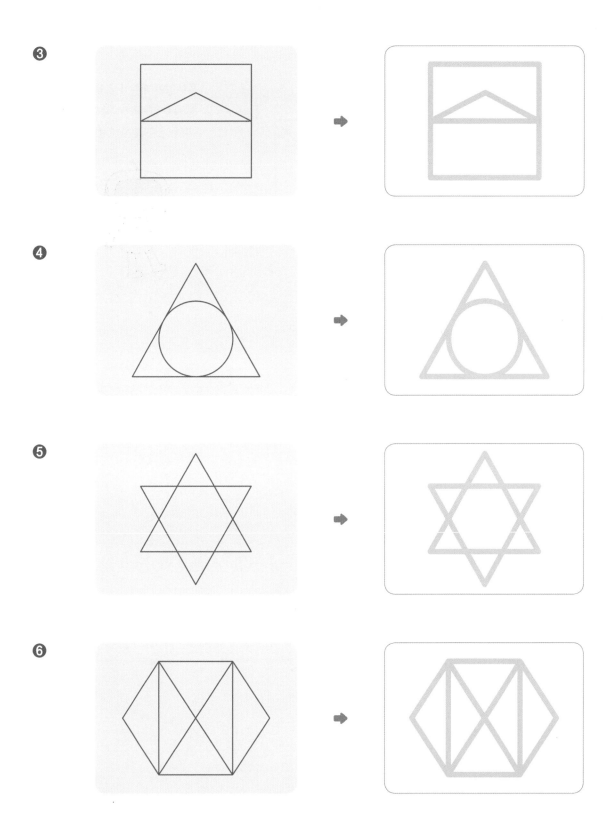

홀수점과 한붓그리기 (2)

✏️ **홀수점의 개수가 2개인 도형입니다. 한붓그리기를 해 보세요.**

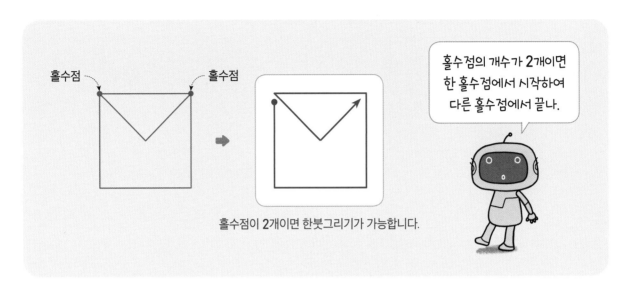

홀수점의 개수가 2개이면 한 홀수점에서 시작하여 다른 홀수점에서 끝나.

홀수점이 2개이면 한붓그리기가 가능합니다.

❶

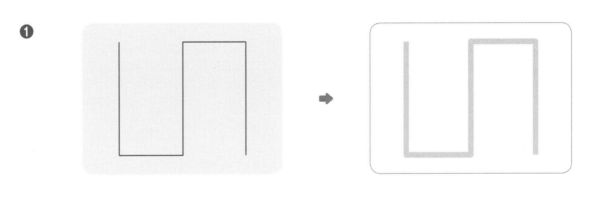

❷

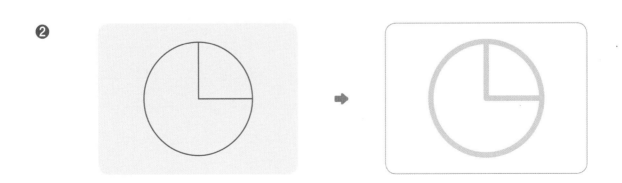

❸

❹

❺

❻

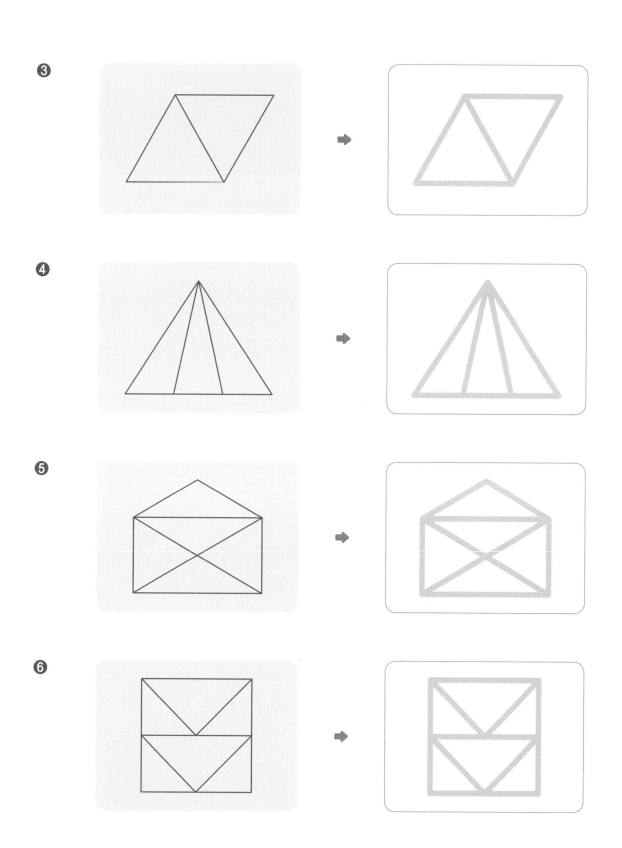

✏️ 한붓그리기를 해 보세요.

❶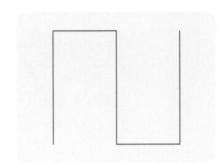

❷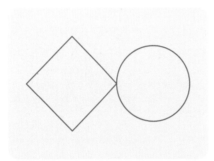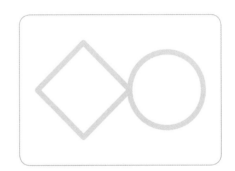

❸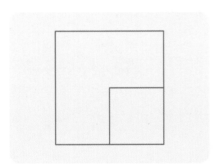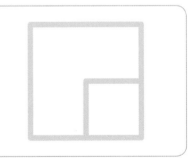

❹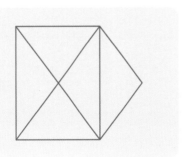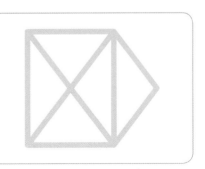

가장 짧은 길

✏️ 가에서 나까지 가장 짧은 길을 모두 그려 보세요.

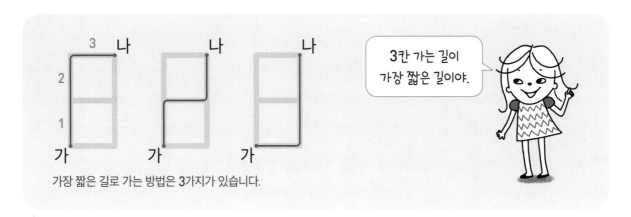

3칸 가는 길이 가장 짧은 길이야.

가장 짧은 길로 가는 방법은 **3**가지가 있습니다.

❶

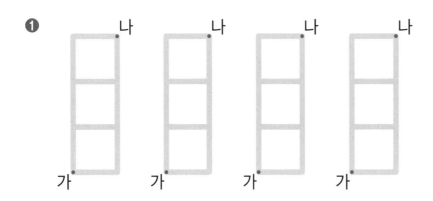

❷

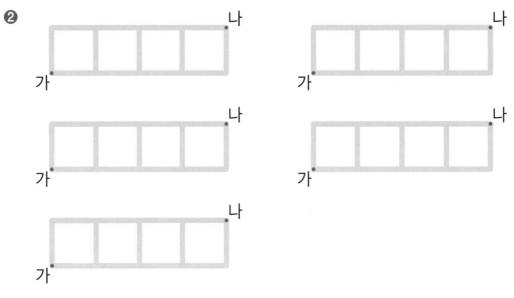

❸

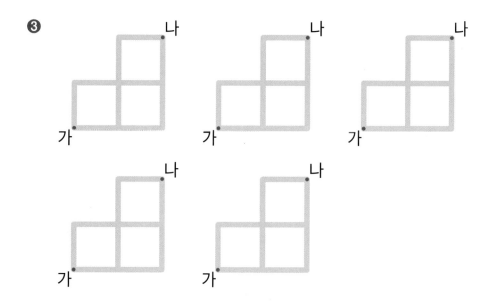

❹

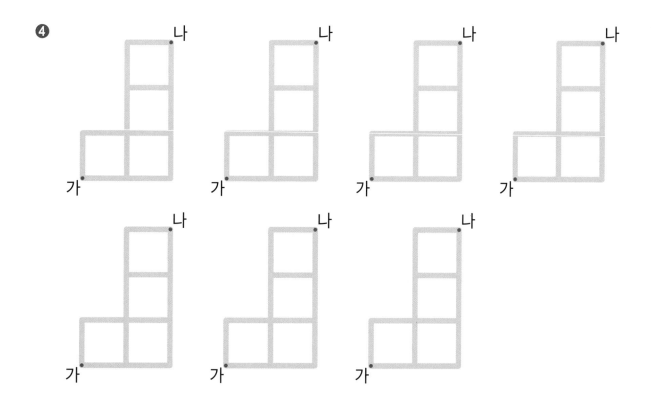

가장 짧은 길의 경로 (1)

✏️ 가에서 나까지 가장 짧은 길의 경로를 모두 쓰고, 가장 짧은 길의 가짓수를 구하세요.

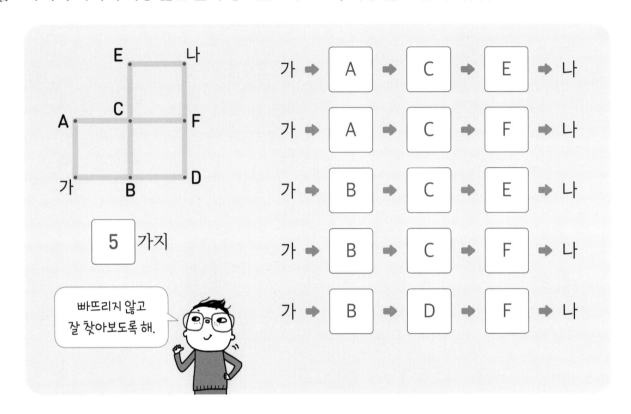

가 ➡ A ➡ C ➡ E ➡ 나

가 ➡ A ➡ C ➡ F ➡ 나

가 ➡ B ➡ C ➡ E ➡ 나

가 ➡ B ➡ C ➡ F ➡ 나

가 ➡ B ➡ D ➡ F ➡ 나

5 가지

빠뜨리지 않고 잘 찾아보도록 해.

❶

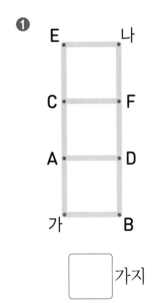

가 ➡ ☐ ➡ ☐ ➡ ☐ ➡ 나

가 ➡ ☐ ➡ ☐ ➡ ☐ ➡ 나

가 ➡ ☐ ➡ ☐ ➡ ☐ ➡ 나

가 ➡ ☐ ➡ ☐ ➡ ☐ ➡ 나

☐ 가지

❷

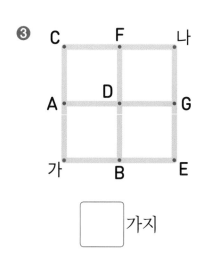

가지

가 ➡ ⬜ ➡ ⬜ ➡ ⬜ ➡ ⬜ ➡ 나

가 ➡ ⬜ ➡ ⬜ ➡ ⬜ ➡ ⬜ ➡ 나

가 ➡ ⬜ ➡ ⬜ ➡ ⬜ ➡ ⬜ ➡ 나

가 ➡ ⬜ ➡ ⬜ ➡ ⬜ ➡ ⬜ ➡ 나

가 ➡ ⬜ ➡ ⬜ ➡ ⬜ ➡ ⬜ ➡ 나

❸

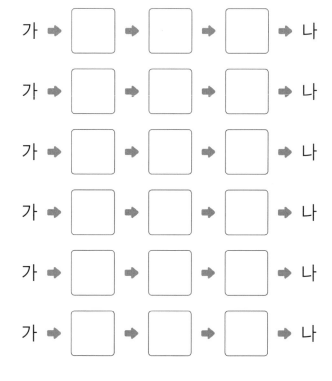

가지

가 ➡ ⬜ ➡ ⬜ ➡ ⬜ ➡ 나

가 ➡ ⬜ ➡ ⬜ ➡ ⬜ ➡ 나

가 ➡ ⬜ ➡ ⬜ ➡ ⬜ ➡ 나

가 ➡ ⬜ ➡ ⬜ ➡ ⬜ ➡ 나

가 ➡ ⬜ ➡ ⬜ ➡ ⬜ ➡ 나

가 ➡ ⬜ ➡ ⬜ ➡ ⬜ ➡ 나

✏️ 가에서 나까지 가장 짧은 길의 가짓수를 구하려고 합니다. 표를 완성하고, ☐ 안에 알맞은 길의 가짓수를 써넣으세요.

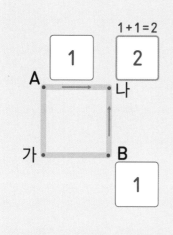

길	길을 가는 방법	길의 가짓수
가 ➡ A	가 ➡ A	1
가 ➡ B	가 ➡ B	1
가 ➡ 나	가 ➡ A ➡ 나 가 ➡ B ➡ 나	2

갈림길에 써 있는 수는 가에서 그 곳까지 가는 가장 짧은 길의 수야.

❶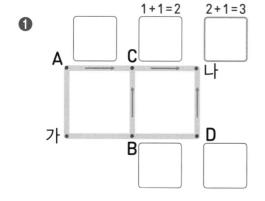

길	길을 가는 방법	길의 가짓수
가 ➡ A	가 ➡ A	
가 ➡ B	가 ➡ B	
가 ➡ C	가 ➡ A ➡ C 가 ➡ B ➡ C	
가 ➡ D	가 ➡ B ➡ D	
가 ➡ 나	가 ➡ A ➡ C ➡ 나 가 ➡ B ➡ C ➡ 나 가 ➡ B ➡ D ➡ 나	

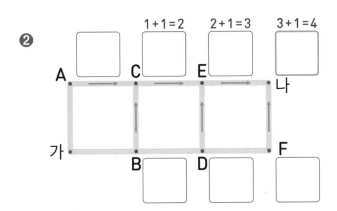

❷

길	길을 가는 방법	길의 가짓수
가 ➡ A	가 ➡ A	
가 ➡ B	가 ➡ B	
가 ➡ C	가 ➡ A ➡ C 가 ➡ B ➡ C	
가 ➡ D	가 ➡ B ➡ D	
가 ➡ E	가 ➡ A ➡ C ➡ E 가 ➡ B ➡ C ➡ E 가 ➡ B ➡ D ➡ E	
가 ➡ F	가 ➡ B ➡ D ➡ F	
가 ➡ 나	가 ➡ A ➡ C ➡ E ➡ 나 가 ➡ B ➡ C ➡ E ➡ 나 가 ➡ B ➡ D ➡ E ➡ 나 가 ➡ B ➡ D ➡ F ➡ 나	

가장 짧은 길의 수 (1)

✏️ 가에서 나까지 가장 짧은 길의 가짓수를 구하려고 합니다. ☐ 안에 모이는 길의 수를 써 넣은 후 가장 짧은 길의 가짓수를 구하세요.

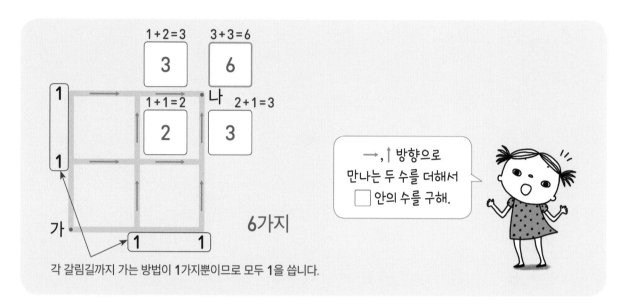

→, ↑ 방향으로 만나는 두 수를 더해서 ☐ 안의 수를 구해.

6가지

각 갈림길까지 가는 방법이 1가지뿐이므로 모두 1을 씁니다.

❶

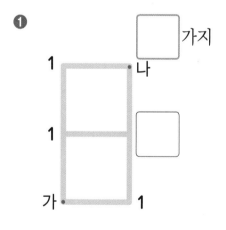

☐ 가지

❷

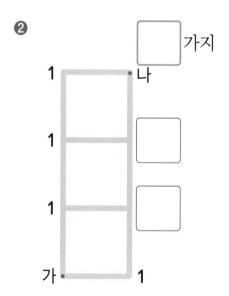

☐ 가지

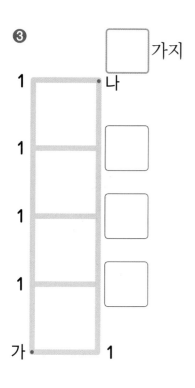

❸ 가지

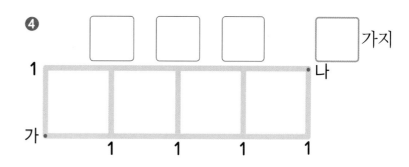

❹ 가지

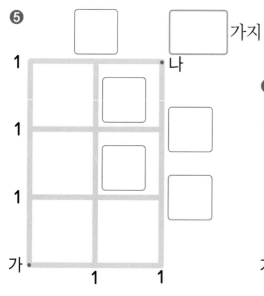

❺ 가지

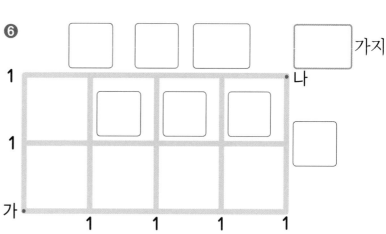

❻ 가지

✏️ 가에서 나까지 가장 짧은 길의 가짓수를 구하려고 합니다. ☐ 안에 모이는 길의 수를 써 넣은 후 가장 짧은 길의 가짓수를 구하세요.

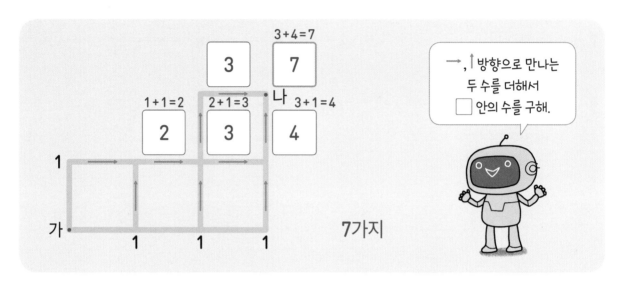

❶

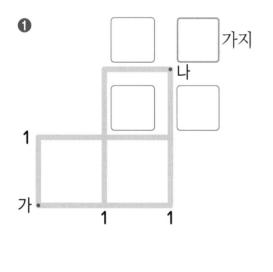

❷

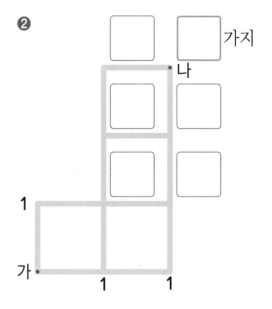

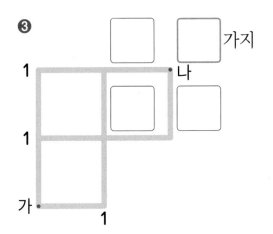

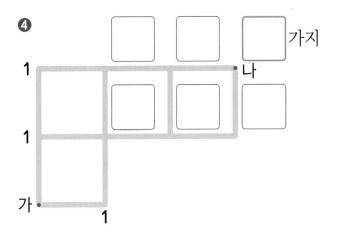

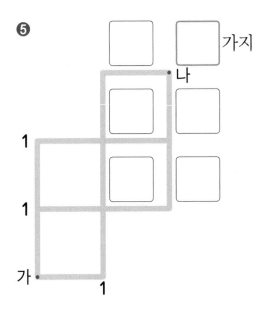

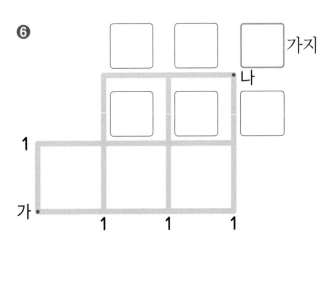

✏️ 가에서 나까지 가장 짧은 길의 가짓수를 구하려고 합니다. ☐ 안에 모이는 길의 수를 써 넣은 후 가장 짧은 길의 가짓수를 구하세요.

❶
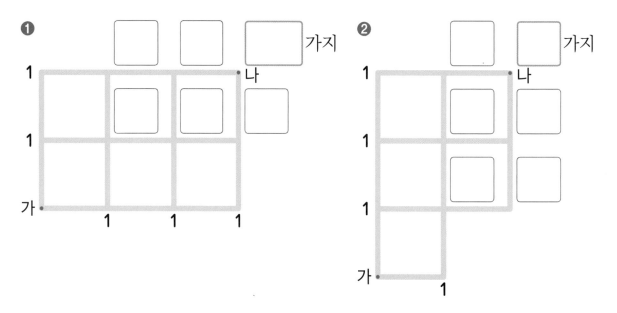

❷

❸
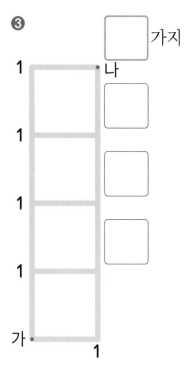

❹
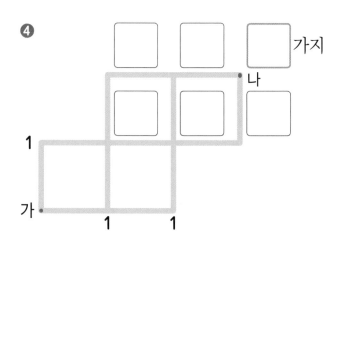

금액 만들기

얼마입니까?

✏️ 모두 얼마입니까?

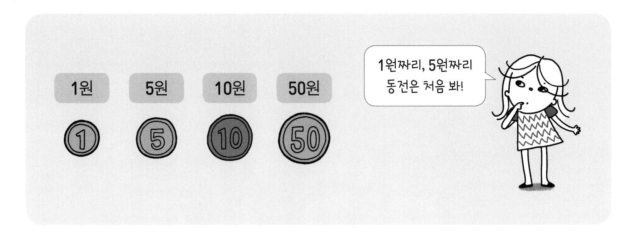

❶

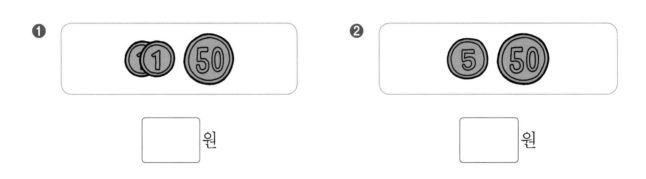

| | 원

❷

| | 원

❸

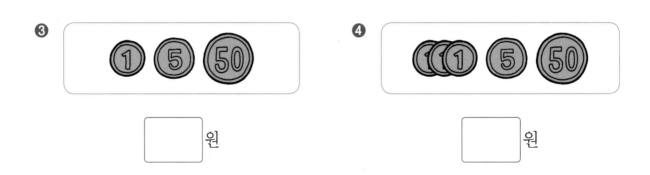

| | 원

❹

| | 원

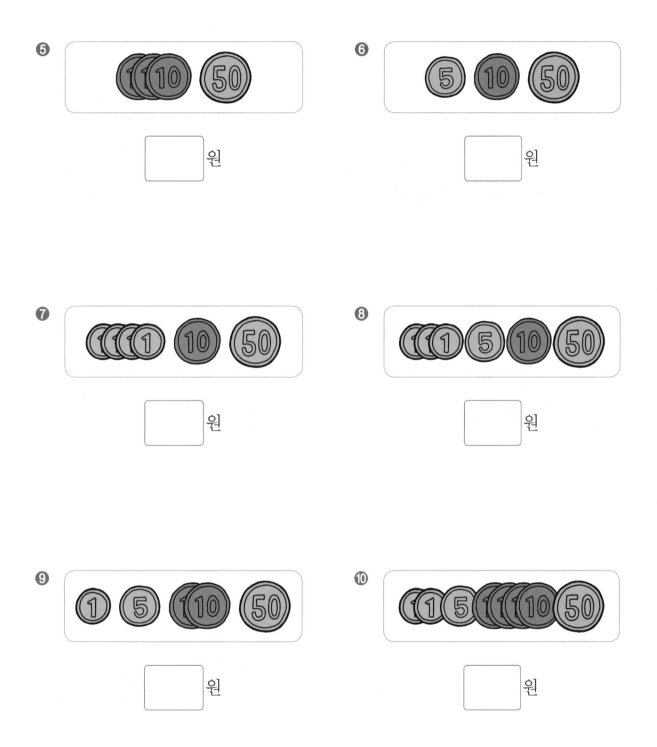

❺ ⬜ 원

❻ ⬜ 원

❼ ⬜ 원

❽ ⬜ 원

❾ ⬜ 원

❿ ⬜ 원

필요 없는 동전

✏️ 금액에 맞도록 필요 없는 동전에 모두 ✕표 하세요.

❶ 11원

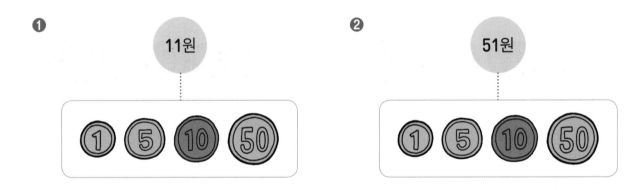

❷ 51원

❸ 55원

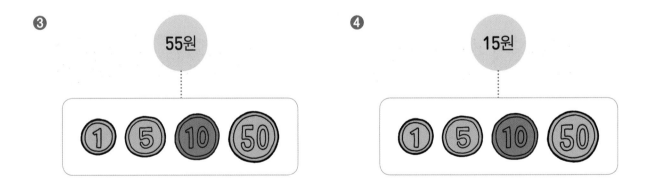

❹ 15원

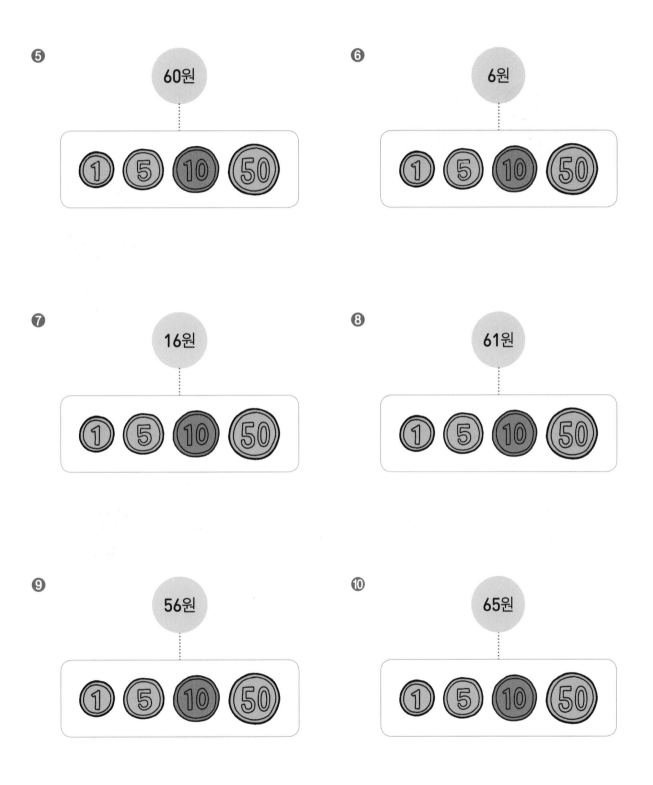

만들 수 있는 금액

✏️ 주어진 동전으로 만들 수 있는 금액에 모두 ◯표 하세요.

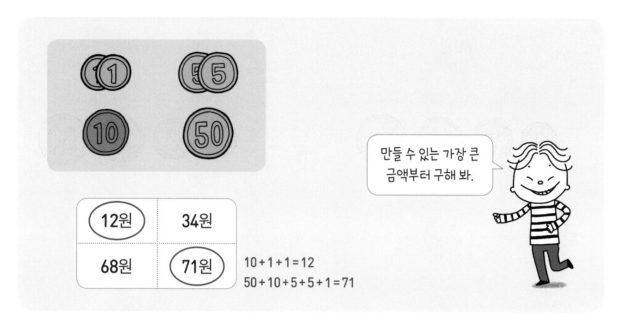

만들 수 있는 가장 큰
금액부터 구해 봐.

(12원)	34원
68원	(71원)

10 + 1 + 1 = 12
50 + 10 + 5 + 5 + 1 = 71

❶

26원	52원
65원	77원

❷

19원	23원
58원	74원

❸

31원	42원
57원	92원

❹

46원	49원
76원	91원

❺

27원	59원
68원	70원

❻

36원	39원
41원	82원

금액 만들기

◆ 주어진 동전을 2개 또는 3개 사용하여 만들 수 있는 금액을 모두 나타낸 것입니다.
○ 안에 사용한 동전의 금액을 쓰세요.

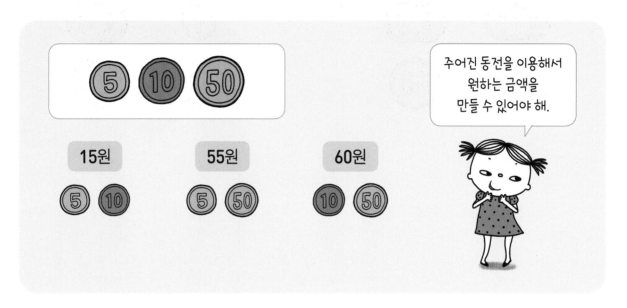

1

15원	○ ○	25원	○ ○ ○
20원	○ ○	65원	○ ○ ○
55원	○ ○	70원	○ ○ ○
60원	○ ○		

❷

10원	◯	◯
15원	◯	◯
55원	◯	◯
60원	◯	◯

20원	◯	◯	◯
60원	◯	◯	◯
65원	◯	◯	◯

❸

6원	◯	◯
11원	◯	◯
15원	◯	◯
51원	◯	◯
55원	◯	◯
60원	◯	◯

16원	◯	◯	◯
56원	◯	◯	◯
61원	◯	◯	◯
65원	◯	◯	◯

금액의 가짓수

✏️ 주어진 동전으로 만들 수 있는 금액은 모두 몇 가지인지 표를 채운 후 구하세요.

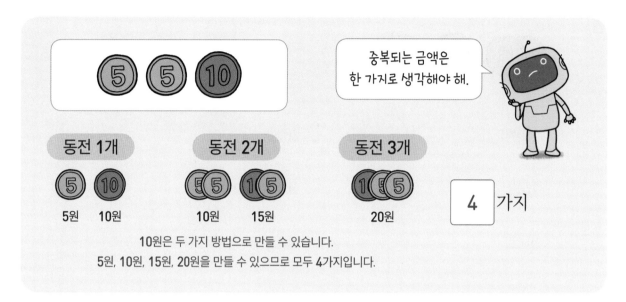

10원은 두 가지 방법으로 만들 수 있습니다.
5원, 10원, 15원, 20원을 만들 수 있으므로 모두 **4**가지입니다.

❶

동전 개수	만들 수 있는 금액(원)
1개	1, 5, 10
2개	
3개	

☐ 가지

❷

동전 개수	만들 수 있는 금액(원)
1개	
2개	
3개	

☐ 가지

❸

동전 개수	만들 수 있는 금액(원)
1개	
2개	
3개	
4개	

가지

❹

동전 개수	만들 수 있는 금액(원)
1개	
2개	
3개	
4개	

가지

❺

동전 개수	만들 수 있는 금액(원)
1개	
2개	
3개	
4개	

가지

❻

동전 개수	만들 수 있는 금액(원)
1개	
2개	
3개	
4개	

가지

✏️ 주어진 동전을 2개 또는 3개 사용하여 만들 수 있는 금액을 모두 나타낸 것입니다.
○ 안에 사용한 동전의 금액을 쓰세요.

❶

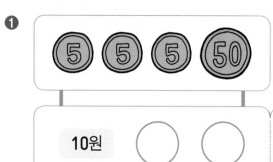

| 10원 | ○ ○ |
| 55원 | ○ ○ |

| 15원 | ○ ○ ○ |
| 60원 | ○ ○ ○ |

✏️ 주어진 동전으로 만들 수 있는 금액은 모두 몇 가지인지 표를 채운 후 구하세요.

❷

동전 개수	만들 수 있는 금액(원)
1개	
2개	
3개	

☐ 가지

❸

동전 개수	만들 수 있는 금액(원)
1개	
2개	
3개	
4개	

☐ 가지

4주차

방법의 가짓수

옷 고르기

✒️ 윗옷과 바지를 1벌씩 고르려고 합니다. 고르는 방법을 선으로 그어 나타내고, 모두 몇 가지인지 구하세요.

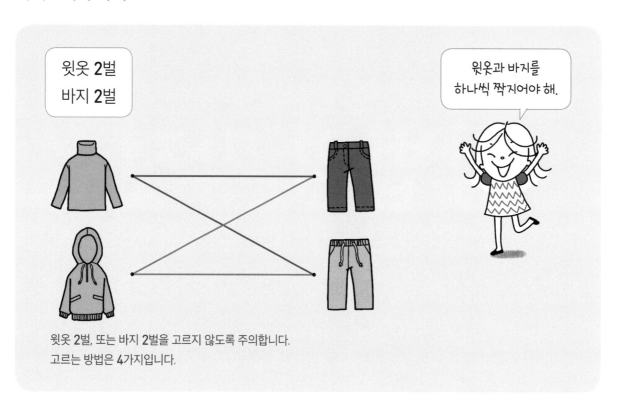

윗옷 2벌
바지 2벌

윗옷과 바지를
하나씩 짝지어야 해.

윗옷 2벌, 또는 바지 2벌을 고르지 않도록 주의합니다.
고르는 방법은 **4**가지입니다.

①

윗옷 3벌
바지 2벌

가지

❷
윗옷 **2**벌
바지 **4**벌

☐ 가지

❸
윗옷 **3**벌
바지 **3**벌

☐ 가지

✎ 주어진 구슬 중 **2개**를 고르려고 합니다. 고르는 방법을 선으로 그어 나타내고, 모두 몇 가지인지 구하세요.

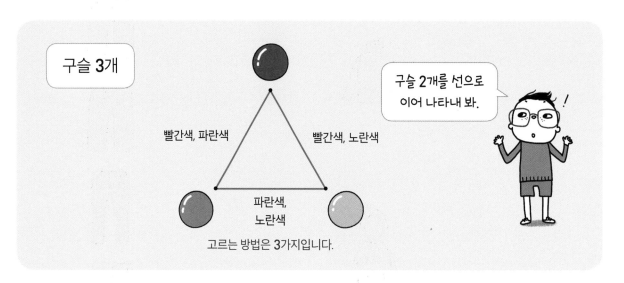

구슬 3개

빨간색, 파란색

빨간색, 노란색

파란색,
노란색

고르는 방법은 **3**가지입니다.

구슬 2개를 선으로
이어 나타내 봐.

❶ 구슬 4개

⬜ 가지

❷ 구슬 5개

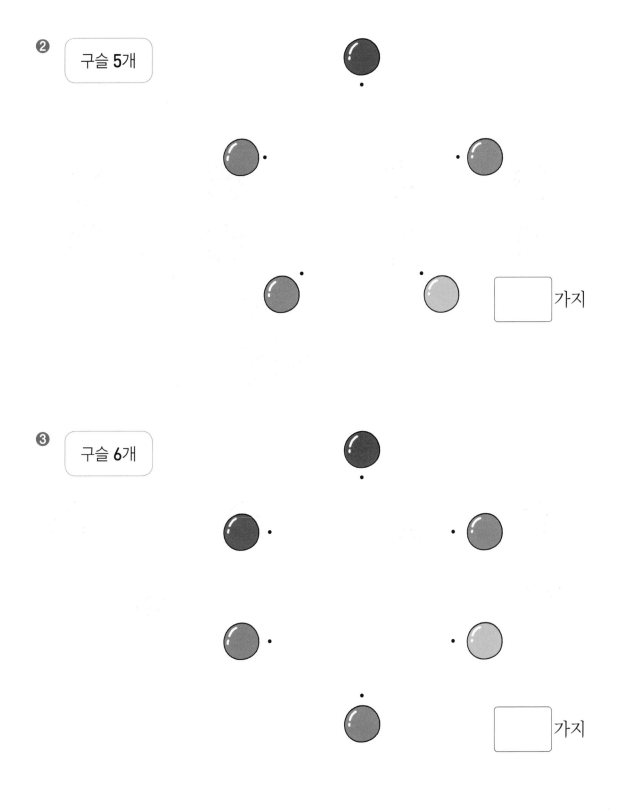

가지

❸ 구슬 6개

가지

✏️ 조건에 맞게 서로 한 번씩 악수하는 것을 선을 그어 나타내고, 모두 몇 번 악수하는지 구하세요.

남학생과 여학생이 한 번씩 악수하기

모두 한 번씩 악수하기

4 번   조건에 주의하면서 선을 그어 보자.   6 번

❶

남학생과 여학생이 한 번씩 악수하기

모두 한 번씩 악수하기

☐ 번

☐ 번

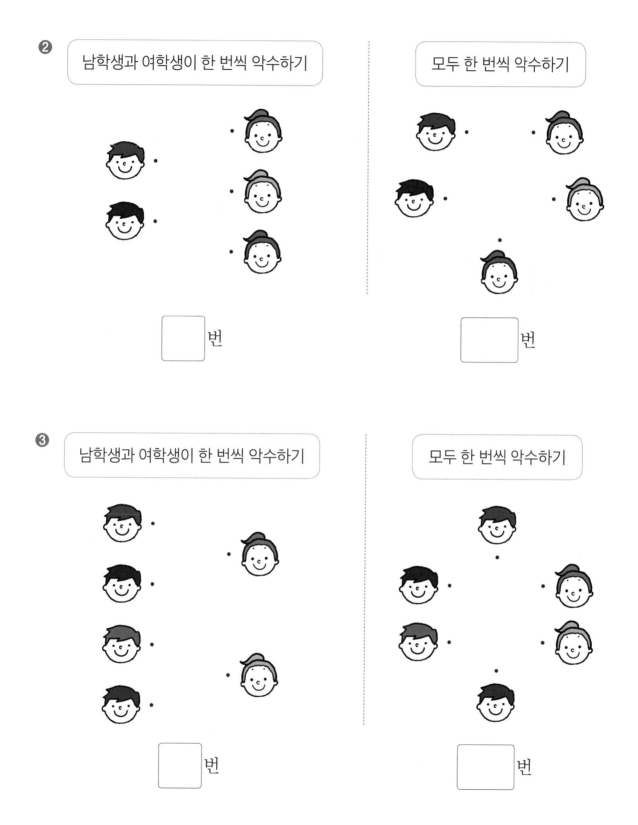

❷ 남학생과 여학생이 한 번씩 악수하기 / 모두 한 번씩 악수하기

❸ 남학생과 여학생이 한 번씩 악수하기 / 모두 한 번씩 악수하기

두 자리 수 만들기

주어진 수 카드 중 2장을 한 번씩 사용하여 만들 수 있는 두 자리 수를 모두 쓰세요.

먼저 십의 자리에 숫자 하나를 쓴 후 남은 숫자 중 하나를 골라 일의 자리에 써.

십의 자리	일의 자리	두 자리 수
1	3	13
	5	15
3	1	31
	5	35
5	1	51
	3	53

만들 수 있는 두 자리 수는 **6**개입니다.

❶

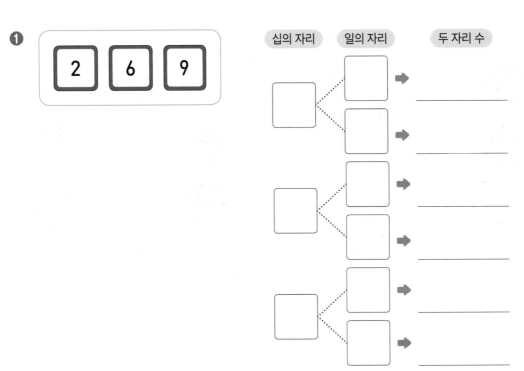

❷

| 1 | 4 | 7 | 8 |

❸

| 2 | 3 | 5 | 9 |

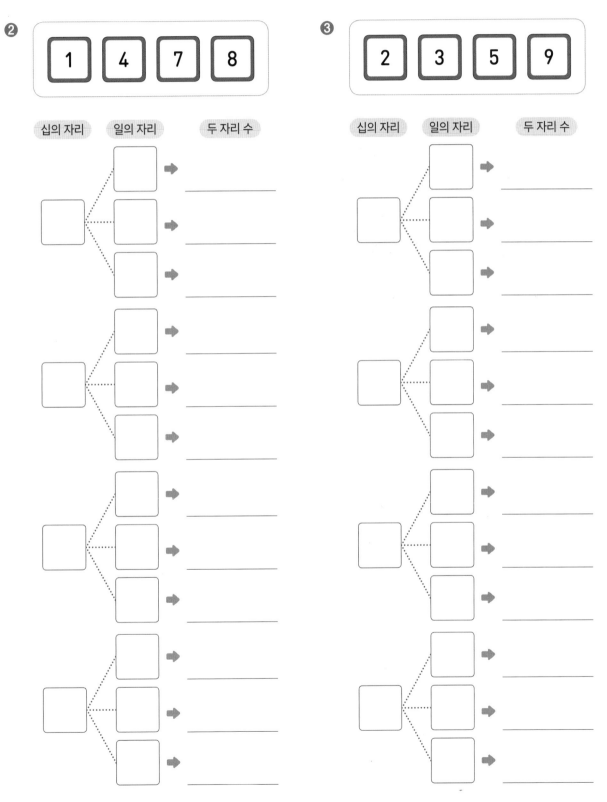

십의 자리　　일의 자리　　　두 자리 수

십의 자리　　일의 자리　　　두 자리 수

✏️ 주어진 수 카드 중 2장을 한 번씩 사용하여 다음 조건에 맞는 수를 모두 쓰세요.

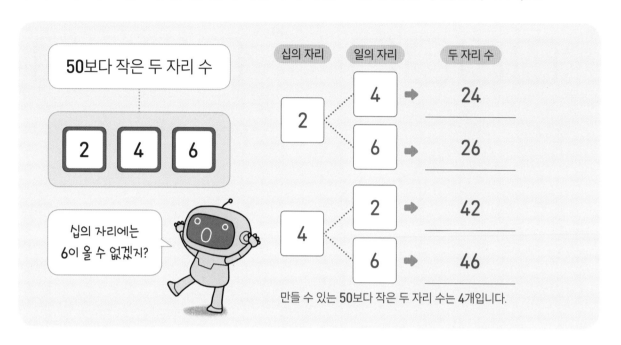

50보다 작은 두 자리 수

| 2 | 4 | 6 |

십의 자리에는 6이 올 수 없겠지?

십의 자리	일의 자리	두 자리 수
2	4 ➡	24
	6 ➡	26
4	2 ➡	42
	6 ➡	46

만들 수 있는 50보다 작은 두 자리 수는 4개입니다.

①

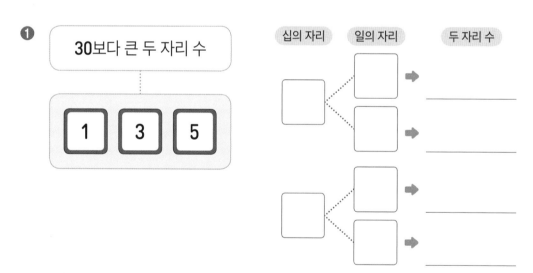

30보다 큰 두 자리 수

| 1 | 3 | 5 |

십의 자리   일의 자리   두 자리 수

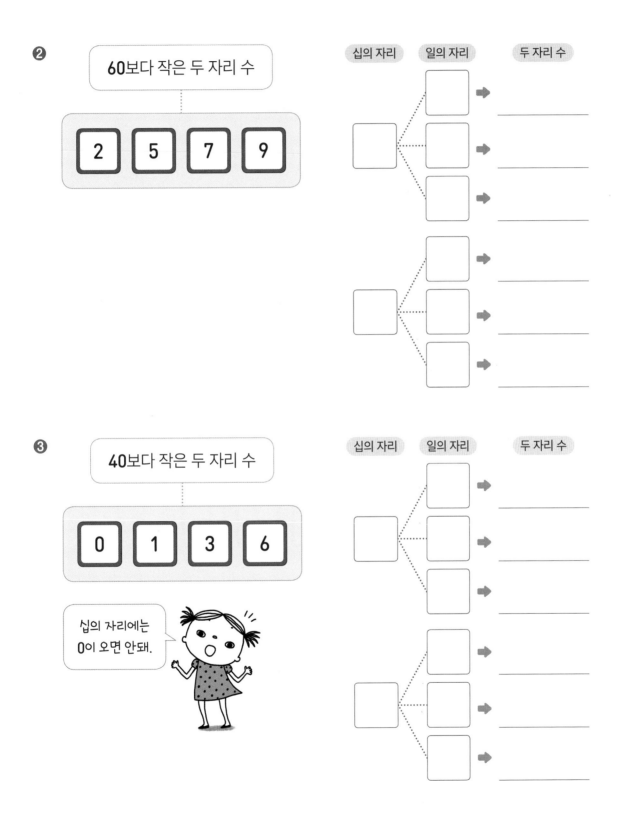

❷ 60보다 작은 두 자리 수

2 5 7 9

십의 자리 일의 자리 두 자리 수

❸ 40보다 작은 두 자리 수

0 1 3 6

십의 자리에는
0이 오면 안돼.

십의 자리 일의 자리 두 자리 수

✏️ 조건에 맞게 서로 한 번씩 악수하는 것을 선을 그어 나타내고, 모두 몇 번 악수하는지 구하세요.

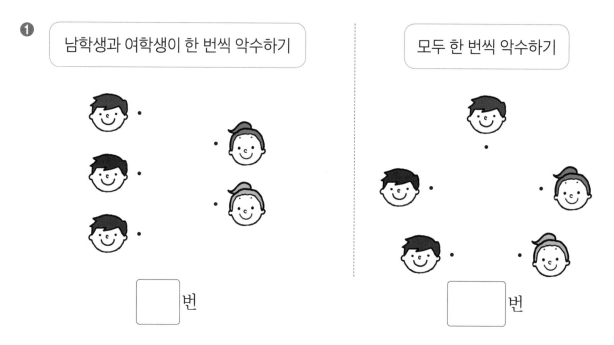

❶ 남학생과 여학생이 한 번씩 악수하기

모두 한 번씩 악수하기

☐ 번

☐ 번

✏️ 주어진 수 카드 중 2장을 한 번씩 사용하여 만들 수 있는 조건에 맞는 수를 모두 쓰세요.

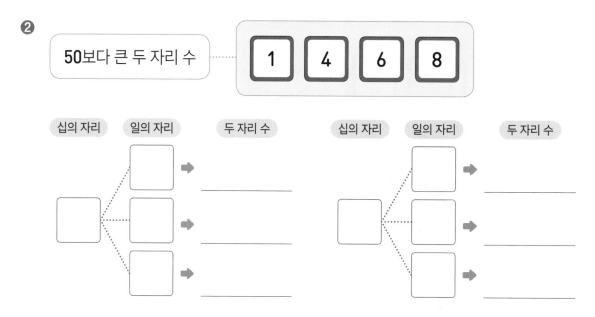

❷ 50보다 큰 두 자리 수 ······ 1 4 6 8

십의 자리 일의 자리 두 자리 수

십의 자리 일의 자리 두 자리 수

마무리 평가

마무리 평가는 앞에서 공부한 4주차의 유형이 다음과 같은 순서로 나와요.
틀린 문제는 몇 주차인지 확인하여 반드시 다시 한 번 학습하도록 해요.

1주차	**3**주차
2주차	**4**주차

❖ 한붓그리기가 되면 ◯표, 안 되면 ✕표 하세요.

❶

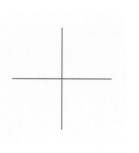

(   )

❷

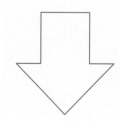

(   )

❸

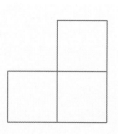

(   )

❹

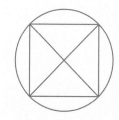

(   )

❖ 가에서 나까지 가장 짧은 길의 경로를 모두 쓰고, 가장 짧은 길의 가짓수를 구하세요.

❺

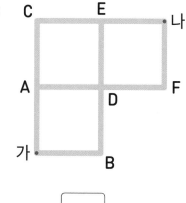

가 ➡ ☐ ➡ ☐ ➡ ☐ ➡ 나

가 ➡ ☐ ➡ ☐ ➡ ☐ ➡ 나

가 ➡ ☐ ➡ ☐ ➡ ☐ ➡ 나

가 ➡ ☐ ➡ ☐ ➡ ☐ ➡ 나

가 ➡ ☐ ➡ ☐ ➡ ☐ ➡ 나

☐ 가지

✤ 주어진 동전을 2개 또는 3개 사용하여 만들 수 있는 모든 금액을 모두 나타낸 것입니다.

　　○ 안에 사용한 동전의 금액을 쓰세요.

❻

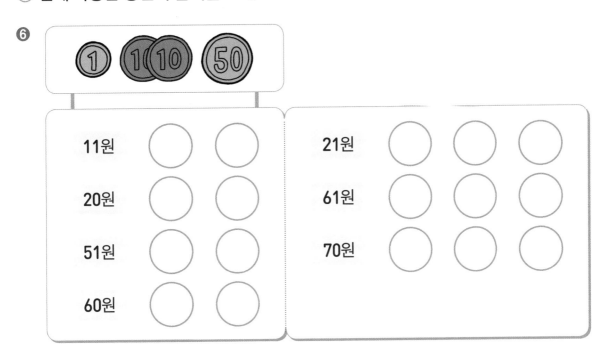

✤ 주어진 수 카드 중 2장을 한 번씩 사용하여 만들 수 있는 두 자리 수를 모두 쓰세요.

❼

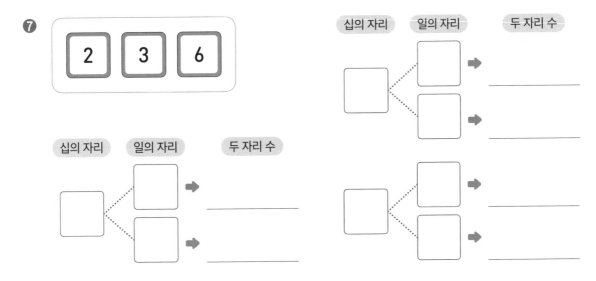

❖ 도형에서 한 꼭짓점에 연결된 선의 개수가 홀수 개일 때 그 점을 홀수점, 짝수 개일 때 그 점을 짝수점이라 합니다. 홀수점의 개수를 구하세요.

❶

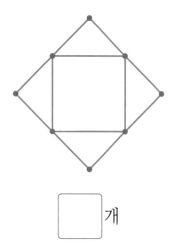

[ ] 개

❷

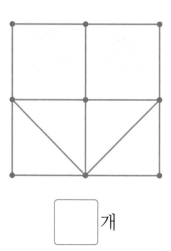

[ ] 개

❖ 가에서 나까지 가장 짧은 길의 가짓수를 구하려고 합니다. ☐ 안에 모이는 길의 수를 써넣은 후 가장 짧은 길의 가짓수를 구하세요.

❸

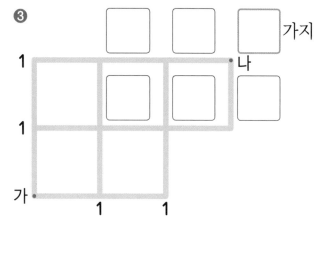

❹

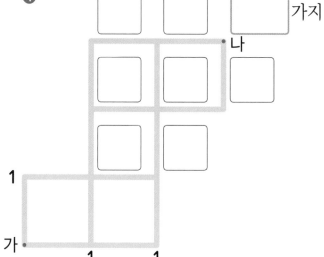

✤ 주어진 동전으로 만들 수 있는 금액에 모두 ◯표 하세요.

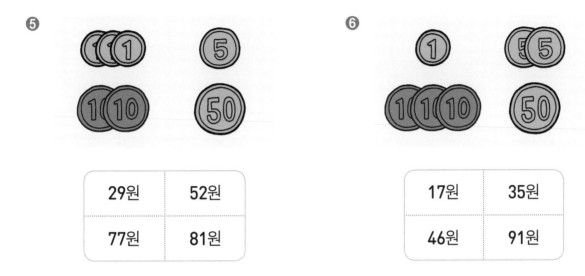

❺

29원	52원
77원	81원

❻

17원	35원
46원	91원

✤ 주어진 수 카드 중 2장을 한 번씩 사용하여 만들 수 있는 조건에 맞는 수를 모두 쓰세요.

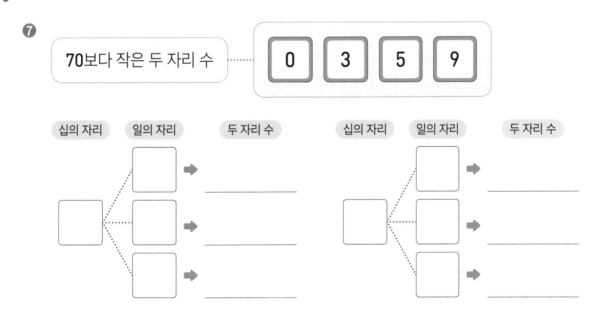

❼

70보다 작은 두 자리 수 ······· [0] [3] [5] [9]

십의 자리 일의 자리 두 자리 수   십의 자리 일의 자리 두 자리 수

❖ 한붓그리기를 해 보세요.

❶

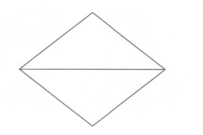

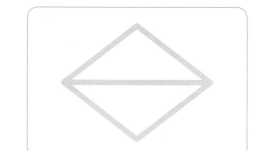

❷

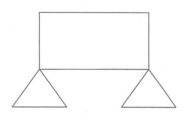

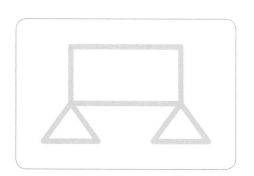

❖ 가에서 나까지 가장 짧은 길의 가짓수를 구하려고 합니다. ☐ 안에 모이는 길의 수를 써 넣은 후 가장 짧은 길의 가짓수를 구하세요.

❸

가지

❹

가지

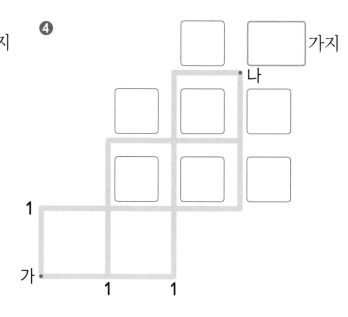

➕ 모두 얼마입니까?

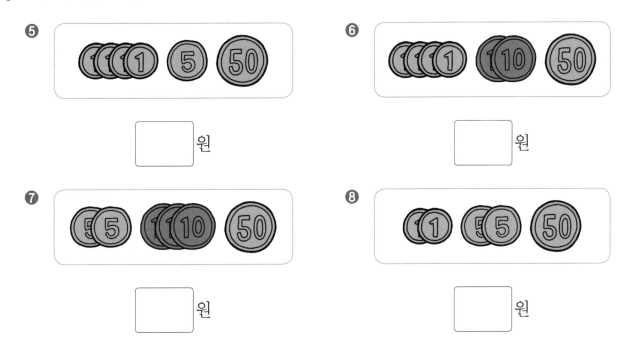

⑤   ⑥

[   ] 원   [   ] 원

⑦   ⑧

[   ] 원   [   ] 원

➕ 주어진 수 카드 중 2장을 한 번씩 사용하여 만들 수 있는 조건에 맞는 수를 모두 쓰세요.

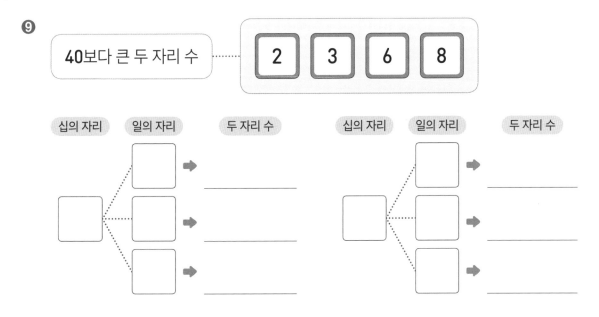

⑨

40보다 큰 두 자리 수 ·········· [2] [3] [6] [8]

❖ 한붓그리기가 되면 ◯표, 안 되면 ✕표 하세요.

❶
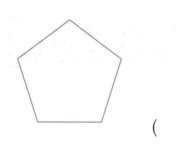

(   )

❷
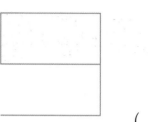

(   )

❸
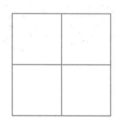

(   )

❹
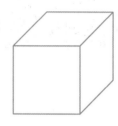

(   )

❖ 가에서 나까지 가장 짧은 길의 가짓수를 구하려고 합니다. ☐ 안에 모이는 길의 수를 써 넣은 후 가장 짧은 길의 가짓수를 구하세요.

❺
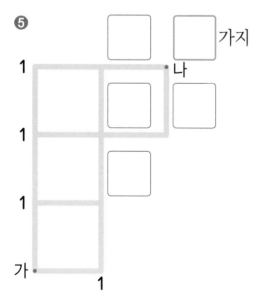

❻
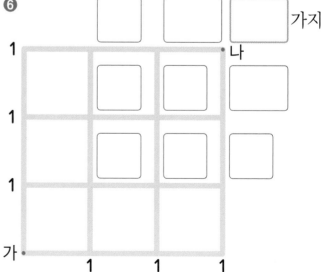

✿ 주어진 동전을 2개 또는 3개 사용하여 만들 수 있는 금액을 모두 나타낸 것입니다.
   ◯ 안에 사용한 동전의 금액을 쓰세요.

❼

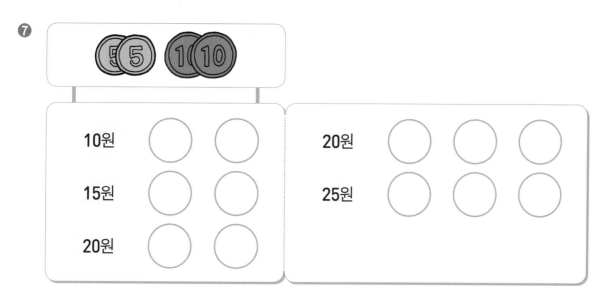

✿ 조건에 맞게 서로 한 번씩 악수하는 것을 선을 그어 나타내고, 모두 몇 번 악수하는지 구하세요.

❽

❖ 한붓그리기를 해 보세요.

①

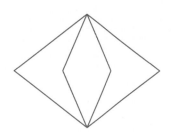 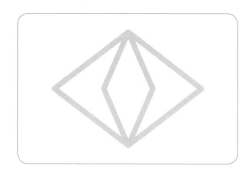

②

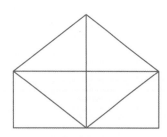 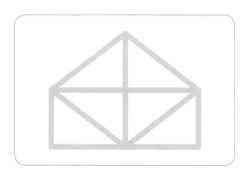

❖ 가에서 나까지 가장 짧은 길의 가짓수를 구하려고 합니다. ☐ 안에 모이는 길의 수를 써 넣은 후 가장 짧은 길의 가짓수를 구하세요.

③

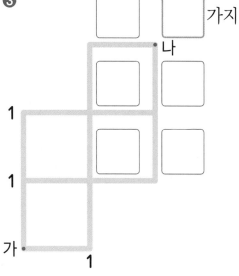

④

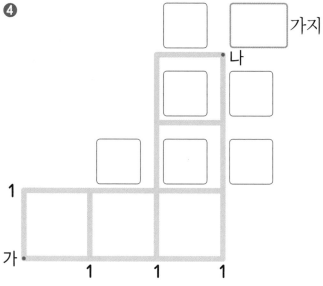

✿ 주어진 동전으로 만들 수 있는 금액은 모두 몇 가지인지 표를 채운 후 구하세요.

❺

동전 개수	만들 수 있는 금액(원)
1개	
2개	
3개	
4개	

[ ] 가지

❻

동전 개수	만들 수 있는 금액(원)
1개	
2개	
3개	
4개	

[ ] 가지

✿ 주어진 수 카드 중 2장을 한 번씩 사용하여 만들 수 있는 조건에 맞는 수를 쓰세요.

❼

60보다 작은 두 자리 수 ·········· [0] [3] [4] [7]

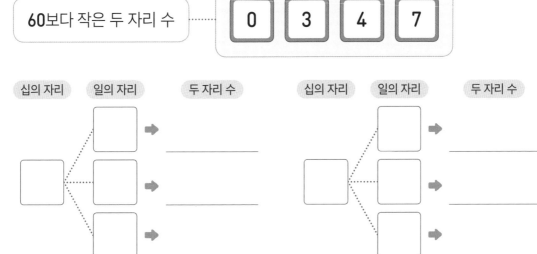

pensées

네이버 공식 지원 카페 필즈엠

씨투엠에듀 공식 인스타그램

'사고력수학의 시작'

과정

pensées

A4

정답과 풀이

DAY 1

한 번에 긋기

✏ 연필을 떼지 않고 선을 한 번씩 모두 지나도록 그려 보세요.

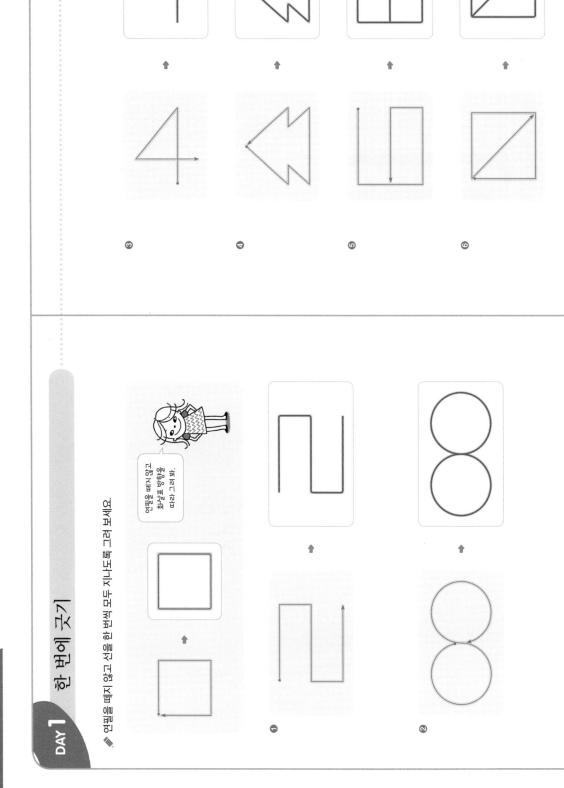

연필을 떼지 말고 화살표 방향으로 한 번에 그려요.

한붓그리기

한붓그리기가 되도록 그려 보세요.

⑥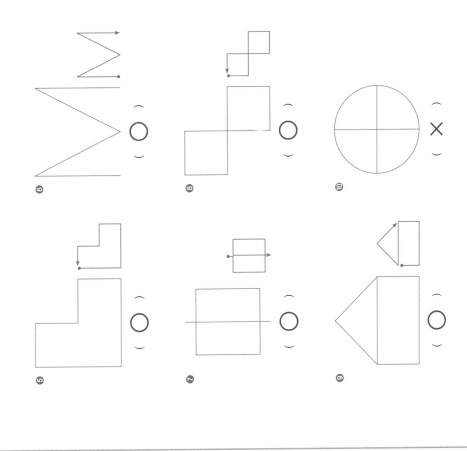

⑤ ( )

⑦ ( )

⑨ ( )

⑧ ( )

⑩ ✕

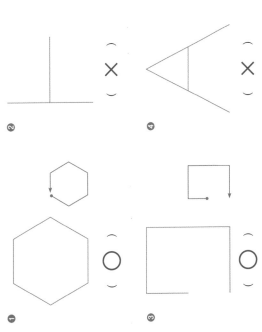

DAY **2**

한붓그리기

✎ 연필을 떼지 않고 선을 한 번씩 모두 지나가도록 그리는 것을 '한붓그리기'라고 합니다.

한붓그리기가 되면 ○표, 안 되면 ✕표 하세요.

선은 반드시 한 번만
지나야 하지만 꼭짓점은
여러 번 지나도 상관없어.

다양한 방법으로 한붓그리기를 시도해 봅니다.

① ( )

② ✕

③ ( )

④ ✕

DAY 3

홀수점의 개수

도형에서 한 꼭짓점에 연결된 선의 개수가 홀수 개일 때 그 점을 홀수점, 짝수 개일 때 그 점을 짝수점이라 합니다. 홀수점의 개수를 구하세요.

점에 연결되어 있는 선의 개수를 세어 봐.

선이 4개이므로 짝수점
짝수점
짝수점
짝수점
선이 1개이므로 홀수점
홀수점

2 개

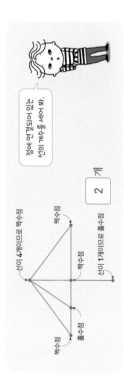

❶ 2 개

❷ 0 개

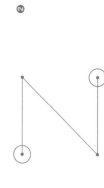

❸ 4 개

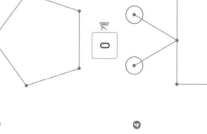

❹ 2 개

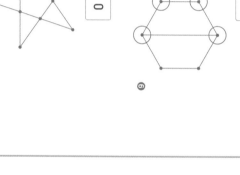

pensées

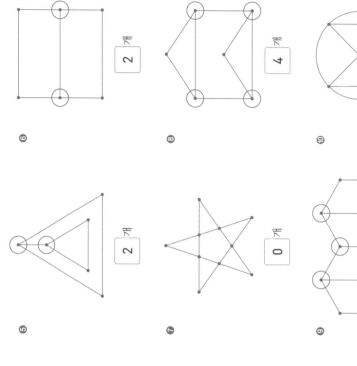

❺ 2 개

❻ 2 개

❼ 0 개

❽ 4 개

❾ 6 개

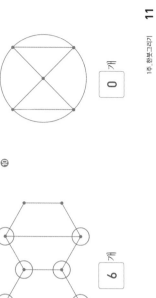

❿ 0 개

DAY 4

홀수점과 한붓그리기 (1)

◆ 홀수점의 개수가 0개인 도형입니다. 한붓그리기를 해 보세요.

홀수점이 0개이면 한붓그리기가 가능합니다.

홀수점의 개수가
0개이면 출발점과
도착점이 같아.

① 홀수점의 개수가 0개인 도형은 어떤 점에서 시작해도 한붓그리기가 가능합니다.

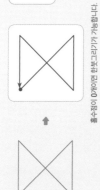

②

이외에도 여러 가지 방법이 있습니다.

③

④

⑤

⑥

한붓그리기

DAY 5

홀수점과 한붓그리기 (2)

✎ 홀수점의 개수가 2개인 도형입니다. 한붓그리기를 해 보세요.

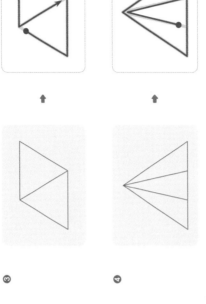

홀수점

홀수점

홀수점이 2개이면 한붓그리기가 가능합니다.

홀수점의 개수가 2개이면 한 홀수점에서 시작하여 다른 홀수점에서 끝나.

홀수점의 개수가 2개인 도형은 홀수점에서 시작해야 한붓그리기가 가능합니다.

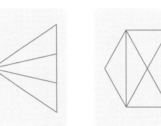

❶

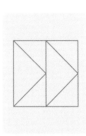

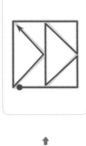

❷

이외에도 여러 가지 방법이 있습니다.

---

③

④

⑤

⑥

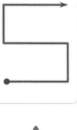

확인학습

🖋 한붓그리기를 해 보세요.

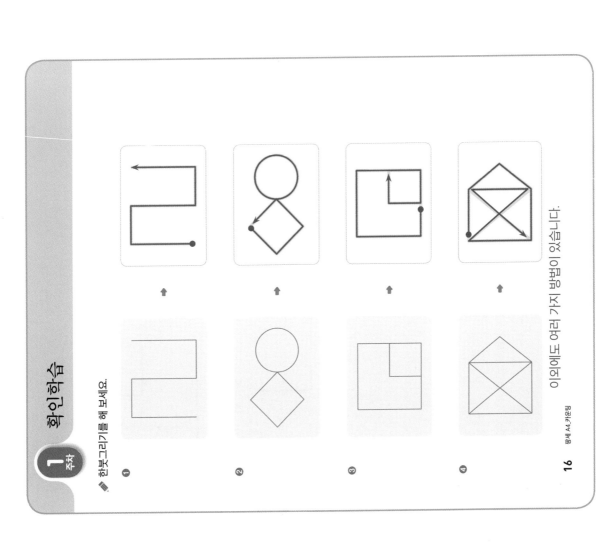

① ② ③ ④

이외에도 여러 가지 방법이 있습니다.

팡세 A4_카운팅

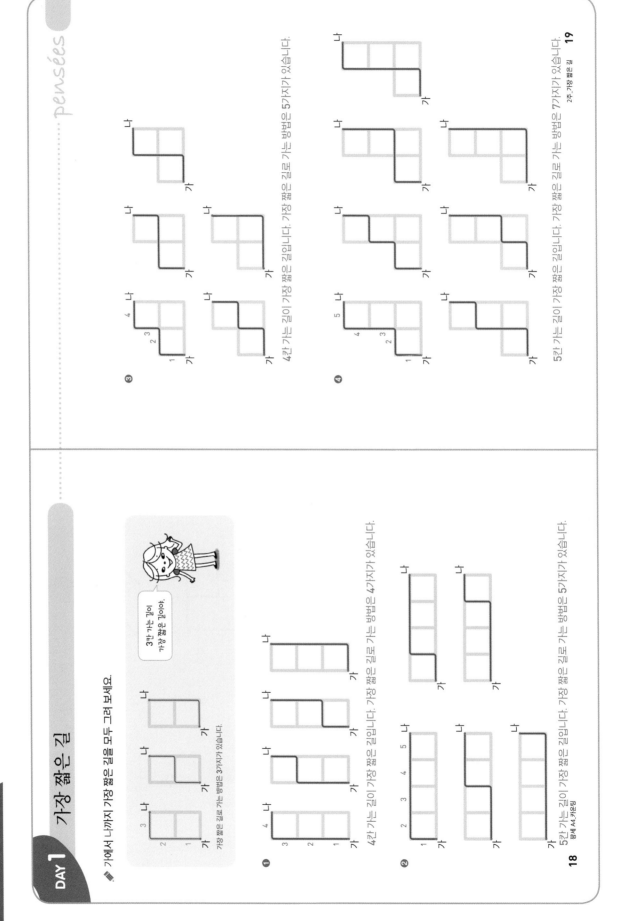

2주차 가장 짧은 길

DAY 1

가장 짧은 길

✏️ 가에서 나까지 가장 짧은 길을 모두 그려 보세요.

> 3칸 가는 길이
> 가장 짧은 길이야.

가장 짧은 길로 가는 방법은 3가지가 있습니다.

❶ 4칸 가는 길이 가장 짧은 길입니다. 가장 짧은 길로 가는 방법은 4가지가 있습니다.

❷ 5칸 가는 길이 가장 짧은 길입니다. 가장 짧은 길로 가는 방법은 5가지가 있습니다.

❸ 4칸 가는 길이 가장 짧은 길입니다. 가장 짧은 길로 가는 방법은 5가지가 있습니다.

❹ 5칸 가는 길이 가장 짧은 길입니다. 가장 짧은 길로 가는 방법은 7가지가 있습니다.

DAY 2

가장 짧은 길의 경로 (1)

가에서 나까지 가장 짧은 길의 경로를 모두 쓰고, 가장 짧은 길의 길이 가짓수를 구하세요.

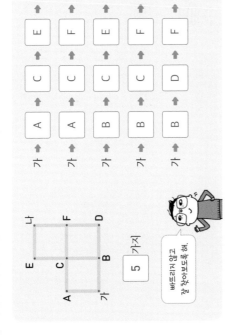

빠르려지 않고 잘 찾아보도록 해.

5 가지

① 4 가지

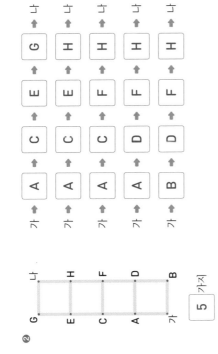

② 5 가지

③ 6 가지

2주차 가장 짧은 길

DAY 3

가장 짧은 길의 경로 (2)

◆ 가에서 나까지 가장 짧은 길의 가짓수를 구하려고 합니다. 표를 완성하고, □ 안에 알맞은 길의 가짓수를 써넣으세요.

❶

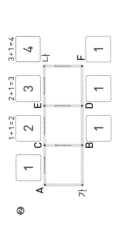

길	길을 가는 방법	길의 가짓수
가→A	가→A	1
가→B	가→B	1
가→나	가→A→나 / 가→B→나	2

> 갈림길에 써 있는 수는 가에서 그 곳까지 가는 가장 짧은 길의 수야.

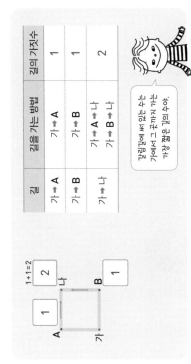

길	길을 가는 방법	길의 가짓수
가→A	가→A	1
가→B	가→B	1
가→C	가→A→C / 가→B→C	2
가→D	가→B→D	1
가→나	가→A→C→나 / 가→B→C→나 / 가→B→D→나	3

❷

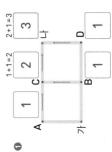

길	길을 가는 방법	길의 가짓수
가→A	가→A	1
가→B	가→B	1
가→C	가→A→C / 가→B→C	2
가→D	가→B→D	1
가→E	가→A→C→E / 가→B→C→E / 가→B→D→E	3
가→F	가→B→D→F	1
가→나	가→A→C→E→나 / 가→B→C→E→나 / 가→B→D→E→나 / 가→B→D→F→나	4

DAY 4 가장 짧은 길의 수 (1)

가에서 나까지 가장 짧은 길의 가짓수를 구하려고 합니다. □ 안에 모이는 길의 수를 써 넣은 후 가장 짧은 길의 가짓수를 구하세요.

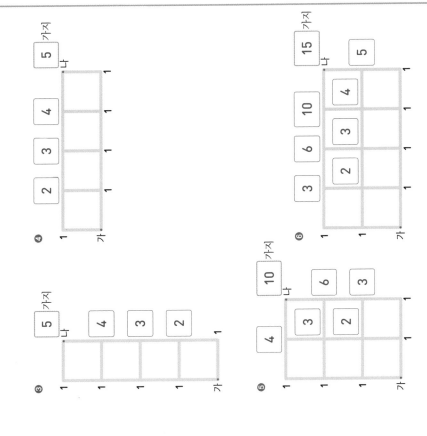

─, ↑ 방향으로 만나는 두 수를 더해서 □ 안의 수를 구해.

각 갈림길까지 가는 방법이 1가지뿐이므로 모두 1을 씁니다.

❶

❷

❸

❹

❺

❻

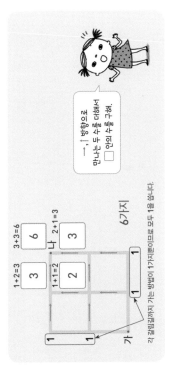

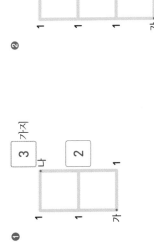

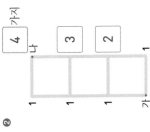

DAY 5

가장 짧은 길의 수 (2)

pensées

가에서 나까지 가장 짧은 길의 길이 가짓수를 구하려고 합니다. ☐ 안에 모이는 길의 수를 써 넣은 후 가장 짧은 길의 길이 가짓수를 구하세요.

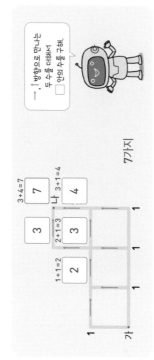

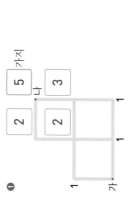

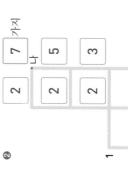

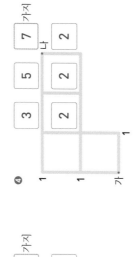

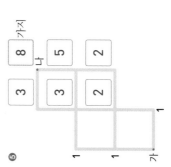

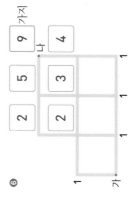

확인학습

✏️ 가에서 나까지 가장 짧은 길의 가짓수를 구하려고 합니다. □ 안에 모이는 길의 수를 써 넣은 후 가장 짧은 길의 가짓수를 구하세요.

❶ 3 6 10 가지
나
2 3 4
1 1 1
가

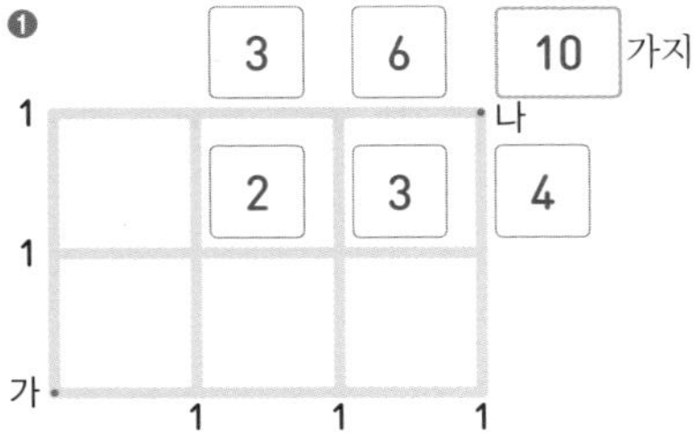

❷ 4 9 가지
나
3 5
2 2
1 1 1
가

❸ 5 가지
나
4 3 2
1 1 1 1
가

❹ 2 5 8 가지
나
2 3 3
2
1 1
가

팡세 A4 가운팅

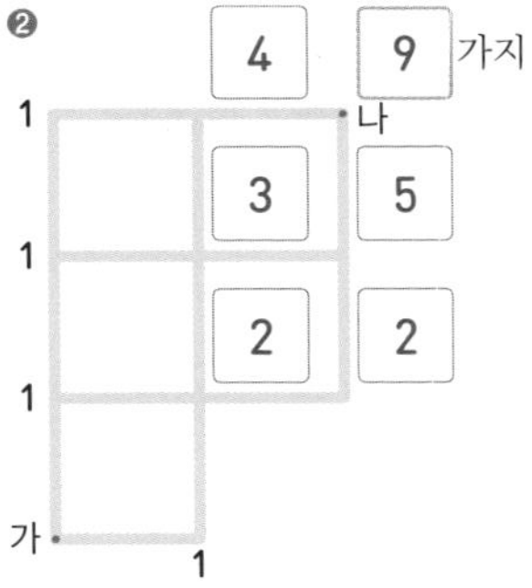

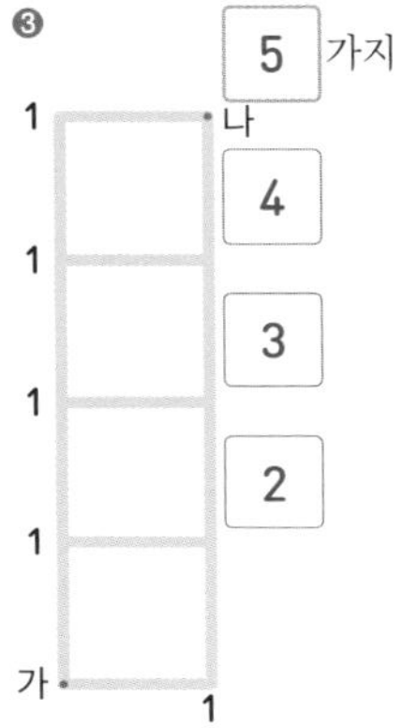

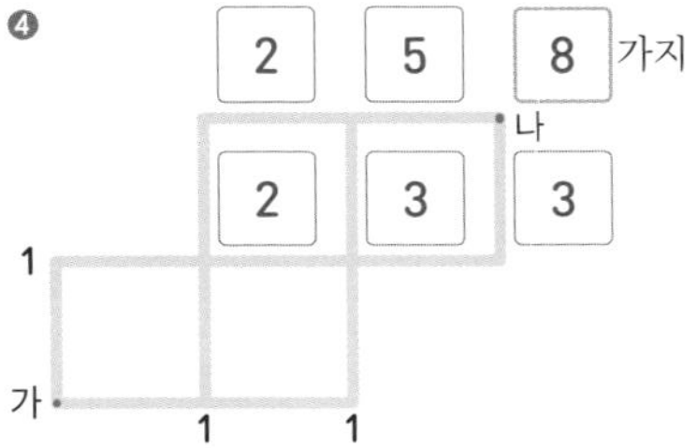

3주차 금액 만들기

DAY 1

얼마입니까?

◆ 모두 얼마입니까?

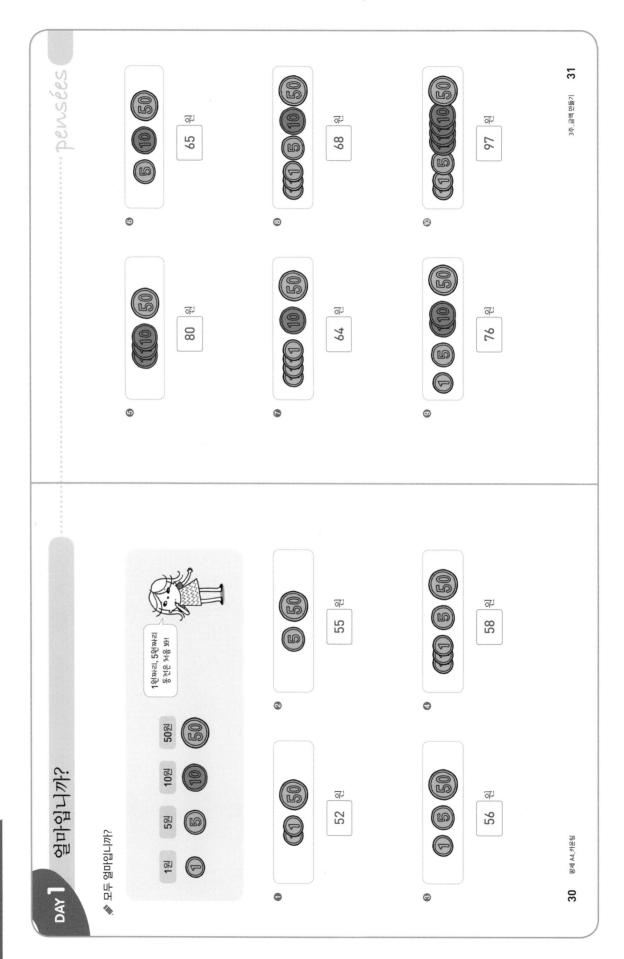

1원	5원	10원	50원
①	⑤	⑩	㊿

1원짜리, 5원짜리 동전은 처음 봐

① 52 원

② 55 원

③ 56 원

④ 58 원

⑤ 80 원

⑥ 65 원

⑦ 64 원

⑧ 68 원

⑨ 76 원

⑩ 97 원

30 팡세 A4.카운팅

3주 금액 만들기 31

DAY 2

필요 없는 동전

금액에 맞도록 필요 없는 동전에 모두 ✕표 하세요.

큰 금액 동전부터 채워 봐.

❶ 60원

❷ 51원

❸ 55원

❹ 15원

❺ 60원

❻ 9원

❼ 16원

❽ 61원

❾ 56원

❿ 65원

DAY 3

만들 수 있는 금액

✎ 주어진 동전으로 만들 수 있는 금액에 모두 ○표 하세요.

만들 수 있는 가장 큰 금액부터 구해 봐.

12원	34원
68원	71원

10+1+1=12
50+10+10+5+5+1=71

❶

26원	52원
65원	77원

10+10+5+1=26
50+10+5=65

❷

19원	23원
58원	74원

10+5+5+1+1+1=23
50+5+1+1=58

❸

31원	42원
57원	92원

10+10+5+1=31
50+5+1+1=57

❹

46원	49원
76원	91원

50+10+10+5+5+1=76
50+10+10+10+5+5+1=91

❺

27원	59원
68원	70원

50+5+1+1+1+1=59
50+10+5+1+1+1=68

❻

36원	39원
41원	82원

10+10+5+5+5+1=36
50+10+10+5+5+1+1=82

pensées

DAY 4

금액 만들기

주어진 동전을 2개 또는 3개 사용하여 만들 수 있는 금액을 모두 나타낸 것입니다.

○ 안에 사용한 동전의 금액을 쓰세요.

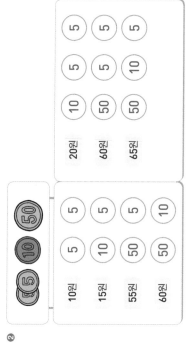

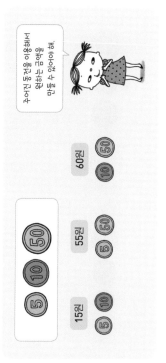

금액의 가짓수

주어진 동전으로 만들 수 있는 금액은 모두 몇 가지인지 표를 채운 후 구하세요.

동전 1개
5원   10원

동전 2개
10원   15원

동전 3개
20원

10원은 두 가지 방법으로 만들 수 있습니다.

5원, 10원, 15원, 20원을 만들 수 있으므로 모두 4가지입니다.

 중복되는 금액은 한 가지로 생각해야 해.

4 가지

①

동전 개수	만들 수 있는 금액(원)
1개	1, 5, 10
2개	6, 11, 15
3개	16

7 가지

②

동전 개수	만들 수 있는 금액(원)
1개	10, 50
2개	20, 60
3개	70

5 가지

③

동전 개수	만들 수 있는 금액(원)
1개	5, 10
2개	10, 15, 20
3개	20, 25
4개	30

6 가지   10원, 20원이 두 번 나타납니다.

④

동전 개수	만들 수 있는 금액(원)
1개	5, 10, 50
2개	15, 20, 55, 60
3개	25, 65, 70
4개	75

11 가지

⑤

동전 개수	만들 수 있는 금액(원)
1개	5, 10, 50
2개	10, 15, 55, 60
3개	20, 60, 65
4개	70

9 가지

10원, 60원이 두 번 나타납니다.

⑥

동전 개수	만들 수 있는 금액(원)
1개	1, 5, 10, 50
2개	6, 11, 15, 51, 55, 60
3개	16, 56, 61, 65
4개	66

15 가지

확인학습

주어진 동전을 2개 또는 3개 사용하여 만들 수 있는 금액을 모두 나타낸 것입니다.

① 안에 사용한 동전의 금액을 쓰세요.

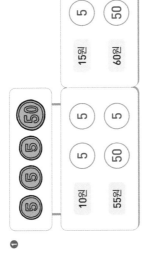

10원	⑤	⑤	15원
55원	50	⑤	60원

주어진 동전으로 만들 수 있는 금액은 모두 몇 가지인지 표를 채운 후 구하세요.

②

동전 개수	만들 수 있는 금액(원)
1개	5, 50
2개	10, 55
3개	60

5 가지

③

동전 개수	만들 수 있는 금액(원)
1개	1, 10, 50
2개	2, 11, 51, 60
3개	12, 52, 61
4개	62

11 가지

4주차

방법의 가짓수

DAY 1

옷 고르기

윗옷과 바지를 1벌씩 고르려고 합니다. 고르는 방법을 선으로 그어 나타내고, 모두 몇 가지인지 구하세요.

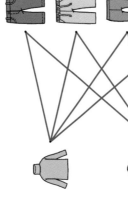

윗옷과 바지를
하나씩 짝지어야 해.

윗옷 2벌
바지 2벌

윗옷 2벌 또는 바지 2벌을 고르지 않도록 주의합니다.
고르는 방법은 4가지입니다.

① 윗옷 3벌
바지 2벌

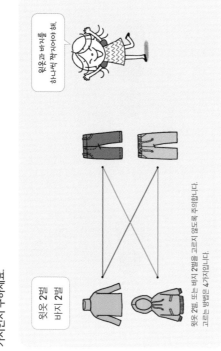

6 가지

② 윗옷 2벌
바지 4벌

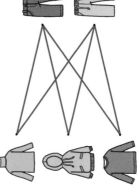

8 가지

③ 윗옷 3벌
바지 3벌

9 가지

구슬 가져가기

주어진 구슬 중 2개를 고르려고 합니다. 고르는 방법을 선으로 그어 나타내고, 모두 몇 가지인지 구하세요.

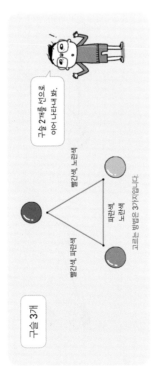

구슬 3개

빨간색, 노란색
빨간색, 파란색
파란색, 노란색

고르는 방법은 3가지입니다.

구슬 2개를 선으로 이어 나타내 봐.

① 구슬 4개

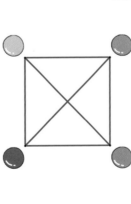

6 가지

② 구슬 5개

10 가지

③ 구슬 6개

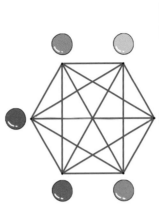

15 가지

4주차 방법의 가짓수

DAY 3 악수하기

조건에 맞게 서로 한 번씩 악수하는 것을 선을 그어 나타내고, 모두 몇 번 악수하는지 구하세요.

모두 한 번씩 악수하기

6 번

남학생과 여학생이 한 번씩 악수하기

4 번

조건에 주의하면서 선을 그어 보자.

① 모두 한 번씩 악수하기

3 번

남학생과 여학생이 한 번씩 악수하기

2 번

모두 한 번씩 악수하기

10 번

모두 한 번씩 악수하기

15 번

② 남학생과 여학생이 한 번씩 악수하기

6 번

③ 남학생과 여학생이 한 번씩 악수하기

8 번

pensées

DAY 4 두 자리 수 만들기

✐ 주어진 수 카드 중 2장을 한 번씩 사용하여 만들 수 있는 두 자리 수를 모두 쓰세요.

1	3	5

십의 자리	일의 자리	두 자리 수
1	3	13
	5	15
3	1	31
	5	35
5	1	51
	3	53

먼저 십의 자리에 숫자 하나를 쓴 후 남은 숫자 중 하나를 골라 일의 자리에 써.

만들 수 있는 두 자리 수는 6개입니다.

①

2	6	9

십의 자리	일의 자리	두 자리 수
2	6	26
	9	29
6	2	62
	9	69
9	2	92
	6	96

만들 수 있는 두 자리 수는 6개입니다.

②

1	4	7	8

십의 자리	일의 자리	두 자리 수
1	4	14
	7	17
	8	18
4	1	41
	7	47
	8	48
7	1	71
	4	74
	8	78
8	1	81
	4	84
	7	87

만들 수 있는 두 자리 수는 12개입니다.

③

2	3	5	9

십의 자리	일의 자리	두 자리 수
2	3	23
	5	25
	9	29
3	2	32
	5	35
	9	39
5	2	52
	3	53
	9	59
9	2	92
	3	93
	5	95

DAY 5

조건에 맞는 수 만들기

주어진 수 카드 중 2장을 한 번씩 사용하여 다음 조건에 맞는 수를 모두 쓰세요.

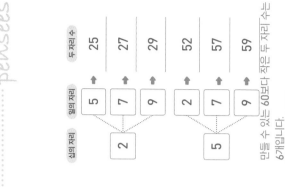

50보다 작은 두 자리 수
| 2 | 4 | 6 |

십의 자리에는 6이 올 수 있을까?

❶

십의 자리	일의 자리	두 자리 수
2	4	24
2	6	26
4	2	42
4	6	46

만들 수 있는 50보다 작은 두 자리 수는 4개입니다.

30보다 큰 두 자리 수
| 1 | 3 | 5 |

십의 자리	일의 자리	두 자리 수
3	1	31
3	5	35
5	1	51
5	3	53

만들 수 있는 30보다 큰 두 자리 수는 4개입니다.

60보다 작은 두 자리 수
| 2 | 5 | 7 | 9 |

❷

십의 자리	일의 자리	두 자리 수
2	5	25
2	7	27
2	9	29
5	2	52
5	7	57
5	9	59

만들 수 있는 60보다 작은 두 자리 수는 6개입니다.

40보다 작은 두 자리 수
| 0 | 1 | 3 | 6 |

❸

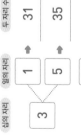

십의 자리에는 0이 오면 안돼.

십의 자리	일의 자리	두 자리 수
1	0	10
1	3	13
1	6	16
3	0	30
3	1	31
3	6	36

만들 수 있는 40보다 작은 두 자리 수는 6개입니다.

확인학습

조건에 맞게 서로 한 번씩 악수하는 것을 선을 그어 나타내고, 모두 몇 번 악수하는지 구하세요.

①

남학생과 여학생이 한 번씩 악수하기

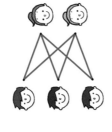

6 번

모두 한 번씩 악수하기

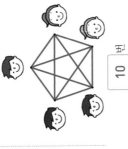

10 번

주어진 수 카드 중 2장을 한 번씩 사용하여 만들 수 있는 조건에 맞는 수를 모두 쓰세요.

②

| 1 | 4 | 6 | 8 |

50보다 큰 두 자리 수

십의 자리	일의 자리	두 자리 수
6	1	61
	4	64
	8	68

십의 자리	일의 자리	두 자리 수
8	1	81
	4	84
	6	86

만들 수 있는 50보다 큰 두 자리 수는 6개입니다.

마무리 평가

pensées
제한 시간 15분
맞은 개수 /7개

❖ ① 한붓그리기가 되면 ○표, 안 되면 ×표 하세요.

②

( )

③

( )

④

( )

❖ ⑤ 가에서 나까지 가장 짧은 길이 경로를 모두 쓰고, 가장 짧은 길이 가짓수를 구하세요.

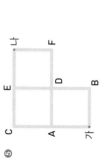

가 → A → C → E → 나

가 → A → D → E → 나

가 → A → F → D → 나

가 → B → D → E → 나

가 → B → D → F → 나

5 가지

54   평면 A4-카운팅

❖ ⑥ 주어진 동전을 2개 또는 3개 사용하여 만들 수 있는 모든 금액을 모두 나타낸 것입니다.
○ 안에 사용한 동전의 금액을 쓰세요.

11원	⑩ ⑩ ⑩ ①
20원	⑩ ⑩ ⑩ ⑩
51원	⑩ 50 ①
60원	⑩ 50 ⑩

21원	⑩ ⑩ ①
61원	50 ⑩ ①
70원	50 ⑩ ⑩

❖ ⑦ 주어진 수 카드 중 2장을 한 번씩 사용하여 만들 수 있는 두 자리 수를 모두 쓰세요.

2 3 6

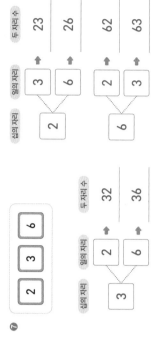

55   마무리 평가

TEST 2

마무리 평가

❖ 도형에서 한 꼭짓점에 연결된 선의 개수가 홀수 개일 때 그 점을 홀수점, 짝수 개일 때 그 점을 짝수점이라 합니다. 홀수점의 개수를 구하세요.

①

0 개

②

2 개

❖ 가에서 나까지 가장 짧은 길의 가짓수를 구하려고 합니다. □ 안에 모이는 길의 수를 써 넣은 후 가장 짧은 길의 가짓수를 구하세요.

③

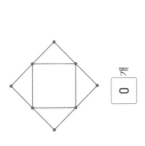

9 가지

④

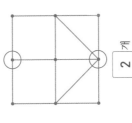

12 가지

❖ 주어진 동전으로 만들 수 있는 금액에 모두 ◯표 하세요.

⑤

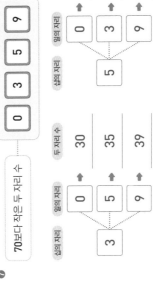

| 29원 | 52원 |
| 77원 | 81원 |

50+1+1=52
50+10+10+5+1+1=77

⑥

| 17원 | 35원 |
| 46원 | 91원 |

10+10+10+5=35
50+10+10+10+5+5+1=91

❖ 주어진 수 카드 중 2장을 한 번씩 사용하여 만들 수 있는 조건에 맞는 수를 모두 쓰세요.

⑦

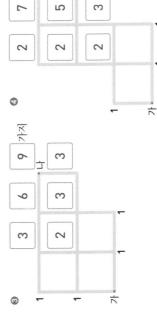

0 3 5 9

70보다 작은 두 자리 수

십의 자리	일의 자리	두 자리 수
3	0	30
5	5	35
9	9	39

십의 자리	일의 자리	두 자리 수
5	0	50
3	3	53
9	9	59

만들 수 있는 70보다 작은 두 자리 수는 6개입니다.

TEST 3 마무리 평가

pensées
제한 시간   15분
맞은 개수   /9개

❖ 한붓그리기를 해 보세요.

① ②

이외에도 여러 가지 방법이 있습니다.

❖ 가에서 나까지 가장 짧은 길이 가짓수를 구하려고 합니다. ☐ 안에 모이는 길이 수를 써 넣은 후 가장 짧은 길이 가짓수를 구하세요.

③

| 2 | 3 | 4 | 가지 |

④

| 5 | 13 | 가지 |

❖ 모두 얼마입니까?

⑤ 59 원

⑥ 74 원

⑦ 90 원

⑧ 62 원

❖ 주어진 수 카드 중 2장을 한 번씩 사용하여 만들 수 있는 조건에 맞는 수를 모두 쓰세요.

⑨

40보다 큰 두 자리 수

| 2 | 3 | 6 | 8 |

십의 자리	일의 자리		두 자리 수
6	2		62
	3		63
	8		68

십의 자리	일의 자리		두 자리 수
8	2		82
	3		83
	6		86

만들 수 있는 40보다 큰 두 자리 수는 6개입니다.

TEST 4

마무리 평가

❖ 한붓그리기가 되면 ○표, 안 되면 ✕표 하세요.

① 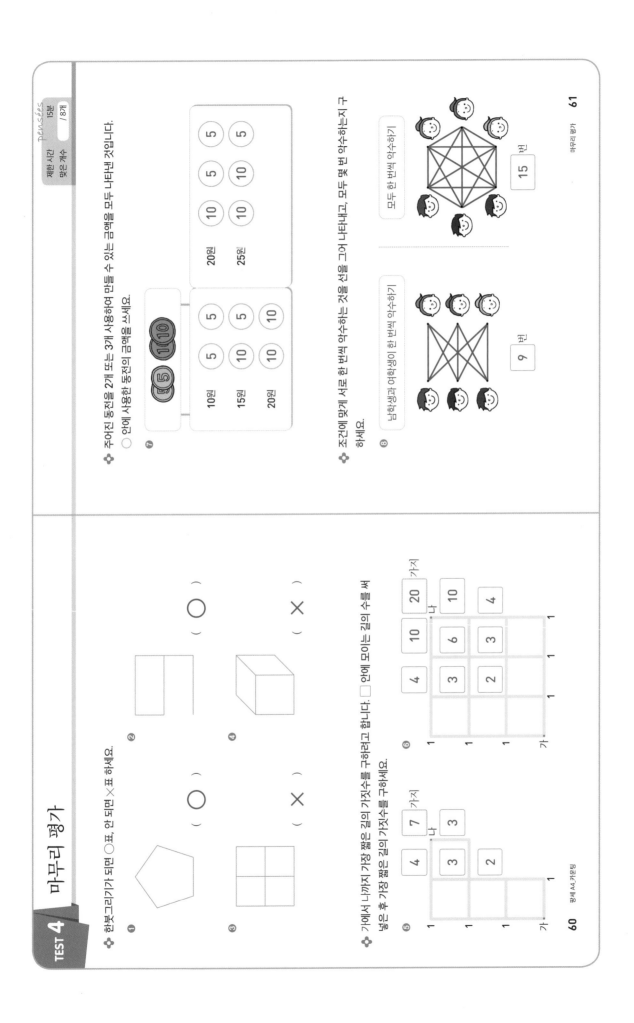(○)

② ( )

③ (✕)

④ (✕)

❖ 가에서 나까지 가장 짧은 길의 가짓수를 구하려고 합니다. ☐ 안에 모이는 길의 수를 써넣은 후 가장 짧은 길의 가짓수를 구하세요.

⑤ 7 가지

⑥ 20 가지

❖ 주어진 동전을 2개 또는 3개 사용하여 만들 수 있는 금액을 모두 나타낸 것입니다.

⑦ ○ 안에 사용한 동전의 금액을 쓰세요.

10원	5	5
15원	10	5
20원	10	10

20원	10	10
25원	10	5
	5	5

❖ 조건에 맞게 서로 한 번씩 악수하는 것을 선을 그어 나타내고, 모두 몇 번 악수하는지 구하세요.

⑧ 남학생과 여학생이 한 번씩 악수하기

9 번

모두 한 번씩 악수하기

15 번

TEST 5 마무리 평가

❖ 한붓그리기를 해 보세요.

①

②

이외에도 여러 가지 방법이 있습니다.

❖ 가에서 나까지 가장 짧은 길의 가짓수를 구하려고 합니다. ☐ 안에 모이는 길의 수를 써 넣은 후 가장 짧은 길의 가짓수를 구하세요.

③

나 | 8 가지

3 | 3 | 2

3 | 5

2 | 2

1 | 1

가

④

나 | 10 가지

3 | 3 | 7

2 | 3 | 3 | 4

1 | 1 | 1

가 | 1 | 1 | 1

❖ 주어진 동전으로 만들 수 있는 금액은 모두 몇 가지인지 표를 채운 후 구하세요.

⑤

동전 개수	만들 수 있는 금액(원)
1개	1, 5
2개	2, 6, 10
3개	7, 11
4개	12

8 가지

⑥

동전 개수	만들 수 있는 금액(원)
1개	5, 10
2개	10, 15
3개	15, 20
4개	25

5 가지

10원, 15원이 두 번 나타납니다.

❖ 주어진 수 카드 중 2장을 한 번씩 사용하여 만들 수 있는 조건에 맞는 수를 쓰세요.

⑦ 0 3 4 7

60보다 작은 두 자리 수

십의 자리	일의 자리	두 자리 수
3	0	30
	4	34
	7	37

십의 자리	일의 자리	두 자리 수
4	0	40
	3	43
	7	47

만들 수 있는 60보다 작은 두 자리 수는 6개입니다.

pensées

pensées

₩I우엠 **지식과상상** 연구소 since 2013

교재 소개 및 난이도 안내

			하	중	상
도형	도형 학습 스타트 **플라토**	6세 ~ 초6			
연산	연산의 새로운 기준 **칸토의 연산**	5세 ~ 초6			
	연산으로 상위권 점프 **응용연산**	6세 ~ 초6			
서술형	수학 실력은 결국 독해력 **수학독해**	6세 ~ 초6			
사고력	반드시 필요한 사고력만 **팡세**	6세 ~ 초6			
예비초등수학	쉽게, 빠르게, 재미있게 **구구단**	5세 ~ 초2			
	저학년 시간 학습 준비 끝 **시계와 달력**				
	꼭 알아야 할 실생활 수학 **길이와 화폐**				
	기초 튼튼, 개념 탄탄 **분수**				

Man is but a reed,
the most feeble thing in nature;
but he is a thinking reed,

"인간은 자연에서 가장 연약한 갈대에 불과하다.
하지만 인간은 생각하는 갈대이다."

Blaise Pascal, 블레즈 파스칼